講談社文庫

輝く夜

百田尚樹

†目次†

輝く夜

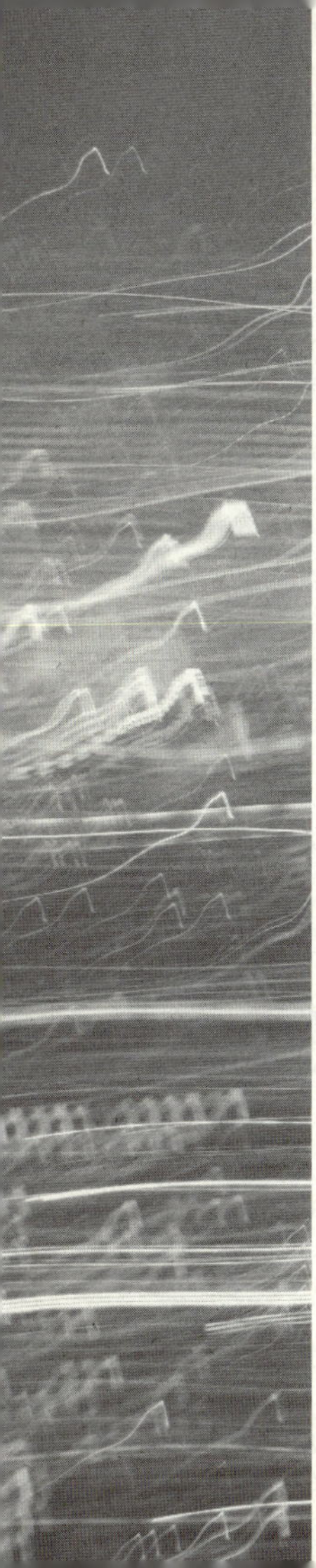

第一話

魔法の万年筆

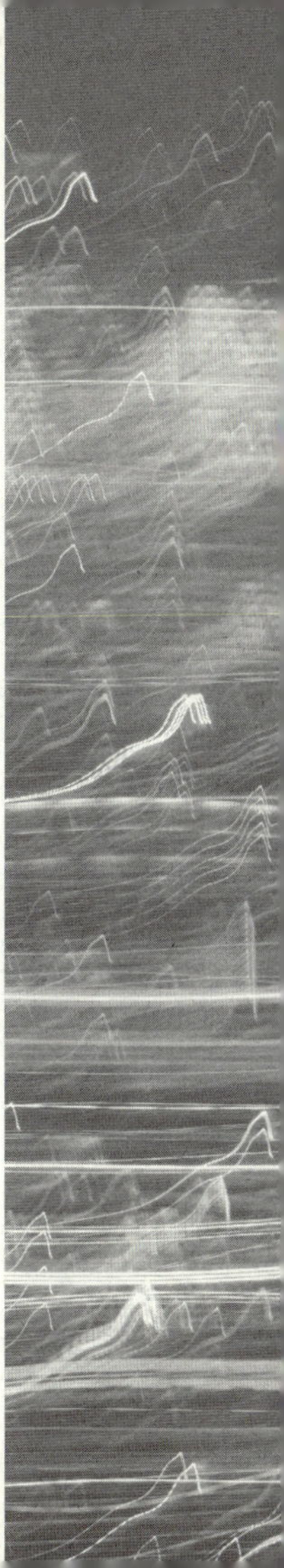

恵子は人通りでごったがえす夕刻の商店街を重い足取りで歩いていた。

アーケードの下には人々の笑い声や話し声が反響し、それに対抗するかのように天井のスピーカーからは「ホワイトクリスマス」が大きなボリュームで流れていた。どこからかチキンを焼く匂いがする。

普通の商店の間に炉端焼きの店や居酒屋などが並ぶこの通りには、買い物をする主婦たちに混じって、大きな声で冗談を言い合う背広姿の男たちの集団がいくつも出来ていた。それに幸せそうに手をつなぎ笑っているカップルたち、コンパか何かで集まった学生風の男女たち、女だけで楽しもうというOLたちの姿もあった。

そんな雑踏の中を恵子は俯《うつむ》きながら歩いていた。

ふいに目の前に大きなクリスマスツリーが現れて思わず足を止めた。商店街の中央の広場に立てられた人の背丈の倍ほどのクリスマスツリーだった。ツリーには色とりどりのイルミネーションが飾られ、見上げるとてっぺんには星形の電球が光っていた。

恵子はツリーの葉を触ってみた。本物のもみの木だった。尖《とが》った葉の先が指を刺し、ちくりとした痛みを感じた。

再び歩きだそうとした恵子の肩に何かが当たり、軽くはじかれた。振り返ると、通り過ぎたサラリーマン風の男の背中越しに赤い包装紙で包まれた大きな箱が見えた。

――クリスマスプレゼントか、と恵子は心の中で呟《つぶや》いた。私も今日社長から素敵なクリスマスプレゼントをいただいたけどね。

その日、恵子は七年勤めた運送会社をクビになった。いや、正式には一ヵ月後の退職を言い渡されたのだ。

昨年から、会社の状態が思わしくないというのは知っていた。赤字が八ヵ月も続いていた。しかしまさか自分が辞めさせられることになるとは思っていなかった。しかもこんな年の瀬に宣告されるとは。

「七年も頑張って働いてくれた君にこんなことを言うのは辛いんだが……」

社長は大仰《おおぎょう》に顔をしかめながら言った。

一日の仕事を終え、帰ろうとしている時に、社長室に呼ばれたのだ。社長室といっても木造二階建ての一階事務所の横にある小さな部屋だ。二階は倉庫と社員の更衣室になっている。社長の妻が帳簿を付けながら聞こえないふりをしていた。

「リストラですか」

社長は下を向いた。恵子はどうして私なのかと思った。五人いる女子社員の中で三十四歳の恵子は一番年長だった。残りの四人のうち二人は社長の親戚だった。

「すまない。このままでは会社はやっていけない」

「わかります」

なんでわかりますなんて言うのだろう、と恵子は思った。なんで私が会社のことなんかわからないといけないのだ。

会社での待遇はいいとは言えなかった。給料は安いし、残業代の出ないことも多かった。七年間で同僚の三人の女の子が給料に不満を感じて辞めていった。恵子は安い給料でも不平も言わずに働いてきた。それなのに今、まっさきにクビを言い渡された。多分、社員の中で一番文句を言わない性格だからだ。

退職は一月《ひとつき》後だったが、有給休暇分は来なくていいと言われたから、実質今日が退職の日だった。

「残った有給分の支払いは堪忍《かんにん》してくれ」と社長は言った。「その分、少し退職金に上乗せするから」

恵子は黙ったままうなずいた。

社長室を出て更衣室に行くと、同僚たちが自分から目を逸《そ》らした。その様子を見て、私が今日クビになることを皆知っていたんだなと思った。おそらく社長の姪《めい》の平野絵里から聞かされていたのだろう。お喋《しゃべ》りなだけの仕事の出来ない娘だった。

皆に別れの挨拶をして会社を出ると、一番年の若い中井琴美が追いかけてきた。

「不当解雇ですよ。受け入れることないよ、丸山さん」

琴美は憤慨《ふんがい》し、大きな目をくりくりさせた。琴美は入社以来、恵子が指導役だった。まだ十代の面影が残る彼女の怒った表情を見て恵子は思わず心がなごんだ。

「でも、会社も厳しいしね」

「そんなの丸山さんのせいじゃないじゃないですか」

「いいのよ。社長はその分、退職金を余計にくれるって」

「あのケチ社長のことだから、雀の涙ですよ」

「琴美ちゃん、今晩一緒にご飯食べようか。ご馳走するよ」

琴美の怒りの表情がバツが悪そうな表情に変わった。

「ごめんなさい。今晩は約束があって――」

恵子は今日がクリスマス・イブだったことを思い出した。


商店街のスピーカーから流れる曲は「ホワイトクリスマス」からいつのまにか「ひいらぎ飾ろう」に変わっていた。嫌いな曲ではなかったが、今夜だけはこんな陽気な歌は耳にしたくない気分だった。

恵子は右耳を押さえた。すると音楽が遠のいた。恵子は小学生の時、左耳が中耳炎になって以来、ほとんど聞こえなくなっていた。両親に心配かけまいと痛いのを我慢して、こじらせてしまったのだ。

恵子はため息をついた。世間はクリスマスで浮かれているのに、私は仕事を失って途方に暮れている。

でも私はまだましだ、と思った。恵子は金策に走り回っている弟のことを思いやった。

弟の和明は都内で小さな工業デザインの会社を経営していたが、二十五日に手形が落ちないかもしれないと言って苦しんでいた。それを知ったのは昨日だった。千葉に住む田舎の母から電話でそのことを聞かされた恵子はすぐに弟に連絡を取り、いくらか援助すると言った。和明は大丈夫だと言ったが、その声は沈んでいた。金額を恵子に言わないことが、その額の大きさをうかがわせた。

恵子はわずかの足しにでもなればと、今日の昼休みに銀行に走り、二百万円を弟の口座に振り込んだ。これまで貯めたお金のほとんどだった。

そんな日にこんなことになるなんて――。もしかしたら弟の会社は不渡りを出して倒産するかもしれない。そうしたら私のお金は戻ってこない。これからどうすればいいのだろう。

――本当に最悪のクリスマスになっちゃった。

この不景気な時代に、資格も特技もない三十四歳の女にどんな仕事があるだろう。でも妻と幼い二人の子供を抱えながら、借金取りに追われるかもしれない弟のことを考えると、自分のこと以上に心が重くなった。

商店街を行く人々の顔はみんな楽しそうに見えた。それはそうだ。今夜はクリスマス・イブなんだから。

アーケード内に響く音楽は「サンタが町にやって来る」に変わっていた。通りを歩く人々の足取りは無意識に音楽に合わせているようにも見える。ユーモラスな行進曲だ。

——気をつけて　泣くのはダメ　ふくれっ面もダメ　何故かって？　それはサンタがやって来るからよ

しかし恵子は泣きそうになった。こんな日に仕事を失うなんて——。そして弟の会社は倒産しようとしている。

「お姉さん、ネックレスいかがです？」

インテリア用品のディスカウントショップの前で若い男に声をかけられた。店頭に置かれた白いシーツをかけた台の上にシルバーのネックレスが何本も並べられていた。

「本日限りのクリスマス大特価！　定価の九割引きですよ」

恵子は結構ですという意味で胸の前で手を振った。

「お姉さんみたいな色白の美人なら、これなんか似合いますよ」

愛想のいい若い男は二つのリングが合わさったネックレスを恵子の前に突き出した。恵子は慌《あわ》てて台から離れた。

ふいに田代を思い出した。十五年前のクリスマス・イブの夜、彼にネックレスを買ってもらった日のことを。


田代は恵子にとって初めての恋人だった。高校を卒業して最初に就職した自動車ディーラー会社の先輩営業マンで、恵子よりも三歳年上。優しく控えめな男で、積極的に女性を誘うような性格ではなかったが、仕事の休憩中に話すくらいの関係が一年以上続いた。田代は見栄えも悪くなかったが、大人《おとな》しく地味な性格で、自分を主張するということがなく、人と争う姿も見たことがなかった。上司の無理な指示にも言い返すこともせず、いつも黙々と仕事をした。

あんな性格で車の営業なんて出来るのかしらと思っていたが、成績は悪くなかった。多分、人の話を辛抱強く聞く誠実な人柄が気に入られていたのだろう。

田代と話していると気持ちがほっこりした。それまで男性との付き合いには臆病だった恵子にとって、田代は初めて構えずに会話のできる人だった。激しい感情表現はしないタイプで、何かに同意する時も「あ」といった表情の後にかすかにうなずくような人だった。

初めてのデートは偶然だった。珍しく渋谷に買い物に行った折、通りでばったりと出会ったのだ。しばらく立ち話をした後、恵子の方から「お茶でも飲みませんか」と誘った。自分にそんな度胸があるとは思わなかった。男性と二人きりで喫茶店に入るのも初めてだった。大人の仲間入りをしたみたいで嬉しかったが同時に緊張もした。あの時の緊張感は今も忘れていない。

喫茶店を出て二人で通りを歩いた。歩道の花壇に青紫色の花が植わっているのが見えた。「きれいな花」と恵子は言った。

「ナミキソウだね」

田代が花の名前を言ったのに恵子は驚いた。

「じゃあ、あのピンクの花は？」

「あれはアクロクリニウム、花かんざしとも呼ばれてる」

「何で、知ってるの？」

田代は少し照れくさそうな顔をした。

「子供の頃から、普通の男の子が好きな電車や車には興味が無くて、花が好きで、公園や花壇の花を眺めている変な子でね。気に入った花の前にいつまでも座って眺めているような子供だったんだよ」

恵子は花壇の前に座ってじっと花を見つめている小さな男の子を思い浮かべた。とても可愛い子供だったに違いない。

「じゃあ、あの花は？」

恵子は歩道のタイルの裂け目から顔を出している小さな黄色い花を指さして聞いた。

「あれは雑草だよ」

「雑草には名前がないの？」

田代は微笑《ほほえ》んだ。

「ちゃんと名前があるよ、スベリヒユというんだ。花壇には植えられることはないけど、可愛い花だよ。ぼくは好きだ」

その年のクリスマス・イブの夜、田代は恵子にネックレスをプレゼントしてくれた。安物でごめんねと彼は言ったが、それは嘘だった。シルバーの鎖につながれた丸い輪の上に小さいながら本物のダイヤが七つもついていた。田代の給料が高くないのは知っていた。こんな私のために、と思うと、嬉しい気持ち以上に申し訳ない気持ちにもなった。

クリスマスとネックレスのせいでつまらないことを思い出しちゃった、と恵子は思った。早くアパートに帰ろう。

商店街を横切る大通りに出た時、交差点の角に座り込んでいる一人のホームレスに気付いた。都心ではよく目にするホームレスだったが、この街で見かけることは珍しかった。

初老のホームレスはアスファルトに白墨で「三日間何も食べていません」と書いていた。そしてカップ麵の白い容器が一つ置かれていた。

恵子が歩調をゆるめながらそっとカップの中を覗《のぞ》くと、空っぽだった。

クリスマスなのに可哀相、と恵子は思った。

ホームレスの座っているすぐ隣にはハンバーガーショップがあり、店内は若者たちで溢《あふ》れかえっている。

恵子は立ち止まって財布から千円札を取り出しかけたが、すぐに思い直した。何も私が恵むことはない。もっとお金がある人が恵んであげるべきだ。

——ごめんなさい、ホームレスさん、私も貧しいのよ。

立ち去ろうとした時、ホームレスが顔を上げた。恵子と目が合った。白い髪に白いヒゲ、顔には深い皺《しわ》が刻まれていた。その目は悲しみに満ちていた。恵子は思わず目を逸らした。そんな目で見ないで！　私も今日、会社をクビになったのよ。それになけなしの貯金も無くなりそうなの。

　しかし恵子はその場を立ち去れなかった。財布に千円札を仕舞うと、代わりに五百円玉を取り出した。ごめんなさい、これで勘弁してください。

　道路に硬貨を置こうとして、ふと気がついた。この人がお店に行っても店員さんに追い出されるかもしれない。

　恵子はホームレスに、「少し待ってて下さい」と言って、ハンバーガーショップに入った。そこでハンバーガーと熱いミルクをテイクアウトで購入すると、それを持って店外に出て、ホームレスの前に置いた。その時、ハンバーガーの入った袋の横に五百円玉もそっと置いた。

　ホームレスはびっくりしたように恵子の顔を見た。それから地面に頭をこすりつけるように深々とお辞儀した。恵子は恥ずかしくなってその場を足早に立ち去った。

　商店街のはずれまで来ると人通りもぐっと減った。

　後ろから「お姉ちゃん」という声が聞こえた。恵子は自分とは思わずそのまま歩いたが、もう一度今度は大きな声で呼ばれた。振り返ると、すぐ後ろにさっきのホームレスの男が立っていた。恵子はびっくりして思わず二、三歩退いた。

「さっきはあんがとな」

ホームレスは頭を下げた。

「いいえ。失礼なことをしてすいませんでした」

ホームレスはにっと口を歪《ゆが》めた。前歯が何本か欠けていた。

「実は俺、サンタクロースなんだよ。お礼させてもらうよ」

この人、頭がおかしいのだと恵子は思った。

「ありがとうございます。でも結構です」

ホームレスはまたにっと口を歪めた。見ようによっては幼児のような無邪気な笑顔だったが、それが逆に気味悪かった。

「んなこと言わずにさあ、いいもんやるから」

ホームレスは恵子の不安など気にも留めずに、にたにた笑いながらズボンのポケットに手を突っ込んだ。

恵子は思わず後ずさった。——何てついてないの、私っていつもこうだ。

彼に同情したことを本気で後悔した。そしていざとなればいつでも走って逃げられるように身構えた。

「これ。魔法の万年筆」

ホームレスはそう言って、黒い小さな棒を恵子の前に差し出した。それは万年筆ではなく、使い古しの短い鉛筆だった。

「この魔法の万年筆で願い事を書くと、願いが叶《かな》うんだよ。すごいだろう」

恵子は拒絶するのが怖くて思わずそれを受け取ってしまった。

「三つだけだよ。願い事は、三つだけ」

ホームレスは指を三本立て、再びにっと顔を崩すと、くるりと背中を向けて去っていった。

恵子はほっとした。逃げることを考えていた自分を恥じた。ごめんなさい、心優しいホームレスさん。私にハンバーガーとミルクの御礼をしようとしてくれたのね。それなのに怖がったりしてごめんなさい。

——でも三つの願い事なんて。

恵子は鉛筆を見た。何の変哲もない短い黒い鉛筆で、芯《しん》は少しちびていた。ホームレスが歩いていった方を見たが、彼の姿はもうどこにもなかった。クリスマスにプレゼントをもらうなんて何年ぶりだろう。でもそれがこんな鉛筆だなんて——。

幼い日、大好きだった父はいつも恵子に童話を読んでくれた。恵子は布団《ふとん》にくるまりながら、お伽噺《とぎばなし》の世界の中に入っていった。あの時の話の中にもよく出てきた。願い事が叶う魔法。それに何でも叶えてくれる魔法使い。

恵子はもう一度右手に握っている短い鉛筆を見た。これは鉛筆に見えるけど実は魔法の万年筆なんだ、と恵子は心の中で呟いた。これで願い事を書けば、その願いは現実のものになる――。

「馬鹿馬鹿しい！」

恵子は思わず呟いた。そんなメルヘンには付き合っていられない。もうそんな夢を見る年じゃないし、優しかった父ももういない。自分にはもっと切実な現実が待っている。

たしかに願いを書けば叶う魔法の鉛筆かもしれない。ただし実際に書くまでは、だ。

コンビニのゴミ箱が目に入った。おじさんには悪いけど、捨てさせてもらおう。気持ちだけをいただいておくから。

アーケードを抜けて住宅街に出た途端、恵子は暗闇に包まれた。同時にやかましいくらいだったクリスマスソングも遠くなった。

恵子は急に寂しくなってきた。と同時に自分の置かれている状況をあらためて思い返した。

失業保険がもらえる間は何とか生活出来るかもしれないが、その後はどうする。はたして次の仕事が見つかるのだろうか。貯金はほとんど弟の口座に振り込んでしまった。多分戻っては来ないだろう。

恵子は立ち止まると、もう一度商店街の方に戻り始めた。誰もいないアパートに帰るのが辛くなったのだ。

どこかレストランで晩ご飯を食べようと思った。周囲に誰かがいるところで食事しよう。見知らぬ人でもかまわない。ご飯は少々豪勢でもいい。誰もいない部屋で一人で食べるよりはずっといい。

恵子は店を探しながら商店街を歩いた。しかしなかなか気に入った店はなかった。

さっき入ったハンバーガーショップの前までやって来た。その横の交差点にはもうホームレスの姿はなかった。三日ぶりの食事で元気を取り戻してどこかに行ったのだろう。アスファルトに白墨で書かれた文字もきれいに消されていた。

結局、駅前まで戻り、イタリアンレストランに入った。初めて入った店だった。ファミリーレストランを少しだけ高級にしたような感じの店で、客層も、カップルもいれば親子連れもいるといった感じだったが、一人でいる客は恵子だけだった。

メニューの中の一番高い二千五百円のコースを頼んだ。ふだんならまず頼まない値段の料理だ。それにグラスワインも注文した。でも今夜くらいはいいじゃない。クリスマス・イブなんだから。

料理を待つ間、所持金を確かめようとして、バッグから財布を取り出した。財布を開くと、硬貨入れの中に鉛筆が入っているのが見えた。あれ、さっき捨てたのではなかったかしら。たしかゴミ箱の中に投げ入れようとした記憶がある——。

鉛筆を指先で弄《もてあそ》んでいると、ふとホームレスの言葉を思い出した。

——願い事を書くと、願いが叶うんだよ。

願い事か——。恵子は自分が望むものは何だろうと思った。

仕事も欲しい。お金も欲しい。恋人も欲しい。若さも欲しい。美しさも欲しい。

考えながら思わず笑みが浮んだ。私って欲しいものだらけ。つくづく欲張りに出来ている。いや、何も持ってないから余計に欲しくなるのかもしれない。

思えば欲しいものはずっと人に譲ってばかりいた人生だった。小さい時からお菓子でもオモチャでも弟と取り合いをしたことがない。一つしかない時はいつも弟に譲った。家が貧しかったので、両親にも何かをねだったことがない。父と母の困る顔を見たくなかったのだ。その代わり弟の喜ぶ顔が見たかったから、親には「私はいいから、和明に買ってあげて」と頼んだ。

中学、高校と勉強は出来たが大学へは行かなかった。やりたいこともなかったし、親に負担をかけたくなかったからだ。その代わり、絵の得意な和明を美術大学へ行かせてやってほしいと頼んだ。弟は大学へ進学出来た。

「恵子の欠点は優し過ぎること」

高校時代の友人たちにはよくそう言われたが、恵子は自分が優しいとは思わなかった。優柔不断で、自己主張が出来ない人間なんだと思っていた。

恵子はまた田代のことを思い出した。願い事が叶うなら田代にもう一度会ってみたい――。

偶然のデート以来、恵子と田代は会社の誰にも知られずに付き合うようになった。田代を好きになったのは優柔不断なところが自分に似ていたからかもしれない。レストランに入るにも、お互いに食べたいものを譲り合ってなかなか店が決められないことがよくあった。もう少し強引にしてくれてもいいのにと思うこともあったが、そんな風に迷っている時間さえ楽しかった。それにどんな時でも自分の我を押し通そうとしない彼の優しさは好もしかった。

田代との付き合いが一年近く続いた時、思わぬ出来事が起こった。同僚の阿部由美が田代に猛烈にアプローチを始めたのだ。由美は可愛らしく、男性に積極的で、これまでも何人かの社員との噂もあった。恵子はひやひやしたが、田代に限って大丈夫だろうと思っていた。しかし事態は最悪のものになった。

ある日仕事が終わって、由美に呼び出された恵子はいきなり「康司さんを譲ってほしい」と言われた。

「あなたが康司さんと付き合っているなんて知らなかった。でも、私も付き合っているの。それに康司さんはあなたではなく、私の方を愛してくれている」

由美は田代と肉体関係があるようなこともほのめかした。恵子はめまいがするほどのショックを受けた。

恵子は田代に由美のことを聞いた。すると田代は消え入りそうな声で「すまない」と言った。

田代は由美から何度も積極的に誘われたんだと言った。よくないとわかっていたが、ついずるずると何度か会ってしまった、由美の噂は知っていたから、向こうも遊びだと思っていた、と言った。

「由美さんのことが好きなの？」

田代は強く否定した。「僕が愛しているのは恵子ちゃんだけだ」

ところが由美は遊びではなかった。

三人での話し合いをしようと言いだしたのは由美だった。郊外の喫茶店で三人は会った。

「あなたが康司さんを愛しているのは知っている。でも彼は私を愛してる。だから、別れてほしいの」

そして由美は恐ろしいことを言った。「私、康司さんの子供を妊娠しているの」

由美は田代にどちらを愛しているのかはっきり言ってほしいと迫った。ずっと苦しそうな顔をしている田代を見ることは恵子には耐えられなかった。

「どっちなの？」由美が言った。

「ぼくは恵子が好きだ」

恵子は思わず目を瞑《つぶ》った。由美は人目もはばからずに声を上げた。

「私のお腹にはあなたの子供がいるのよ！」

田代は堕《お》ろしてくれないかと言った。この償いは何でもする。由美は泣きながら、償いをする気があるなら私と結婚して、と訴え続けた。

マスカラが落ちるのもかまわずに泣き崩れる由美はふだんの勝ち気で華やかな彼女ではなかった。恵子は、この人、本気で田代を愛しているんだと思った。そして由美のお腹の中の子供のことを考えた。田代が由美を捨てたら、お腹の赤ちゃんも死んでしまうのだろうか。それとも、父親のいない子供として生まれてくるのだろうか。

「由美さんを幸せにしてあげて下さい」

恵子の口から自分でも思いもかけない言葉がこぼれ出た。

「あなたのことが好きでなくなりました。長い間、有り難うございました」

恵子は呆然《ぼうぜん》とする田代に向かって言うと、席を立った。田代は追っては来なかった。

二ヵ月後の夏の終わりに田代と由美は結婚した。その年の暮れに由美は女の子を出産した。

翌年の春、恵子は会社を辞めた。

——あの時、絶対に別れないと言えば田代はどうしたのだろう。由美と別れて私と一緒になったのだろうか。

鉛筆をテーブルの上で転がしながら、自分はなんて馬鹿なんだろうと思った。言いたいことも言えない。欲しいものも欲しいと言えない。その結果がこれだ。職を失った三十四歳の独身女。クリスマスなのに一緒に過ごす相手もいない。

恵子はふとアパートの隣の部屋に住む藤沢健作のことを思い浮かべた。アパートに帰れば、健作がいたかもしれない。もしかしたら彼も今頃一人でご飯を食べているかもしれないと思った。

藤沢健作は俳優だった。と言っても売れない役者だ。名の知れた劇団に所属してはいたが、俳優としての収入はほとんどなく、ふだんは夜の警備員のアルバイトで食いつないでいる。

童顔で目鼻立ちのくっきりした細面の健作の顔は、恵子の目にはなかなかのハンサムに見えたが、あまたいる役者の中では目立つほどのものではないのだろう。一人前になるべく十年近く頑張ってきた健作だったが、数日前に突然、役者を辞めて故郷の九州に帰ると言いだした。

「年が明けたらアパートを引き払います。福岡に先輩がいて、その商売を手伝うつもりです」

健作は少し寂しそうに言った。

「お姉さんともお別れです」

それを聞いた恵子も寂しくなった。

健作と知り合ったのは六年前だ。恵子は二十八歳で健作は二十一歳。奇妙な出会いで、後々に二人で何度も笑い話にしたほどだった。

その朝、恵子は目覚めると、見覚えのない部屋のベッドに服のまま寝ていた。起きあがって周囲を見渡すと、台所の床に知らない男が毛布にくるまって寝ていた。背筋が凍る思いとはこのことだ。

その時、恵子が起きた気配を察したのか、床に寝ていた男が目覚めた。若い男だった。彼は毛布から頭だけ持ち上げると、にっこりして言った。

「やあ」

人なつっこい笑顔を見た瞬間、恵子の恐怖心と緊張感が解けた。その若者が藤沢健作だった。

「私が、自分自身で、この部屋に、やって来た――のね？」

恵子はおそるおそる聞いた。

「うん。びっくりしたよ」

健作は昨夜の状況を説明した。夜中に突然、鍵をがちゃがちゃする音に気が付き、ドアを開けると、いきなり酔った女が入ってきた。女は「あんた、誰？」みたいなことを言いながら、どんどん部屋に入ってきて、そのまま床に倒れてしまった。健作はいくら起こしても起きない女をベッドまで運んで寝かせたということだった。

聞いてるうちにぼんやりと記憶が甦ってきて顔から火が出そうだった。

前夜、恵子は友人と久しぶりに飲みに行き、いささか飲み過ぎてアパートに帰宅したのだ。よく見ると、ベッドの周りにはおそらく恵子のものであろう嘔吐《おうと》物《ぶつ》を処理した跡があった。一部は恵子の服にもついていた。

「ごめんなさい」

「気にすることないですよ」青年は笑いながら言った。「よくあることです」

「よくあることとは思えないんだけど」

「そうですね」

青年のとぼけた言い方に恵子は思わず小さく吹き出した。

それ以後二人は玄関や廊下で会うと挨拶を交わすようになった。

三ヵ月ほど経ったある日、公園で健作が幼い子供たちと遊んでいるのを見かけた。

どうやら怪獣ごっこしているようだ。健作は「ガオー」と言いながら子供たちを追いかけている。子供たちは大喜びで逃げている。やがて一番小さな子が捕まった。健作は「食べてやる」と言いながら、その子供の足を噛んだ。恵子はどきっとしたが、子供はけらけら笑っている。他の子供たちが一斉に健作の周囲に集まり、健作を叩き始めた。健作は「ウォー」と叫びながら、小さい子を解放すると、別の子供を追いかけ始めた。

恵子は少々呆《あき》れて、公園を後にした。

その夜、恵子が仕事から戻った時、仕事に出かける健作と廊下でばったり会った。

「今朝、公園で見たよ」

「今度、芝居で父親役をすることになって――それで公園で子供らと遊んでたんです」

「あなたの方が遊んでもらってるように見えたよ」

健作は頭をかいた。恵子は照れくさそうな表情を浮かべる彼を可愛いと思った。

健作に対して恋愛感情はなかった。二十八歳の恵子にとって二十一歳の健作はまるで子供としか見えなかった。恵子は弟に接するような気持ちで接した。健作も恵子のことをいつしか「お姉さん」と呼ぶようになっていた。恵子は「健作」と呼び捨てにした。

恵子は時折、健作を招いて手作りの料理をご馳走した。彼があまりにも痩《や》せていたからだ。健作は流暢《りゅうちょう》な標準語を話したが、お酒が入って気持ちが高ぶると、時たま博多弁が飛び出した。彼の博多弁を聞くのは好きだった。

「俺は奇蹟の男たい」

ある日、健作は冗談めかして言った。しかしその内容は笑えるものではなかった。彼が三歳の時、家族の乗っている車が事故に遭い、同乗していた両親と姉が亡くなり、彼だけが助かったという話だった。

「だから俺、強運の持ち主なんですよ」

健作は笑ってそう言ったが、恵子は相槌《あいづち》すら打つことができなかった。

後日、新聞記事のコピーを見せてくれたことがあった。記事には無免許の若者の運転する暴走車がセンターラインを越えて健作の家族が乗る車にぶつかったと書いてあり、健作の両親と小学生くらいの女の子の写真が載っていた。健作は図書館で当時の記事を探し出してコピーしたのだと言った。

恵子はその写真を見て、思わず涙ぐんでしまった。

「ごめんなさい。いやなものを見せちゃいましたね。でも、俺にとっては貴重な家族写真の一つなんです」

家族についての記憶はほとんどないという。

「でも、姉ちゃんと遊んでもらった記憶がぼんやりとあります」

恵子はあらためて写真の女の子を見た。優しそうな顔をした可愛い女の子で、目元が健作にそっくりだった。

両親を失った健作は施設で暮らした。親戚のところにもいたことがあったらしいが、その話はほとんどしなかった。多分、恵子にも言いたくない辛い出来事がいっぱいあったのだろう。

施設での話はたまにした。仲間たちとした悪戯《いたずら》の話、旅行の話、そして施設の先生たちと一緒にやった劇の話。この時の芝居の面白さが忘れられず、健作は高校を卒業後、役者を志して上京したのだ。恵子と出会ったのは上京して三年目のことだった。六年の間、恵子と健作は一度も恋愛関係にはならなかった。しかし一年前、ただ一度だけ危ない夜があった。

その日、恵子は姪にあげるプレゼントを買うために出かけた都心のデパートで、偶然に田代を見た。およそ十年ぶりに見る姿だった。彼は家族と一緒だった。アクセサリー売り場で商品を眺めている娘を微笑みながら見ている田代と由美の姿。田代は由美の腰に手を回し、由美は夫にもたれかかるようにして立っていた。恵子は逃げるようにデパートを出た。

その夜、恵子は健作を誘い、アパートの近くの居酒屋でしたたかに飲んだ。飲みながら田代の話をしたような気がした。さんざん酔っぱらって健作に抱えられるようにしてアパートに戻った時、健作に「抱いて」としがみついた。健作が断ると、恵子は泣きながら健作の顔を平手で何度も叩いた。健作は叩かれるままだった。

意気地なし、あんた、それでも男なの！　それともホモなの！　と恵子がわめいても健作は取り合わなかった。そして強い力で恵子を彼女の部屋に押し込んだ。

それから今日まで健作はその夜のことを一度も口にしたことはない。恵子は健作の思いやりを感じた。そして、あの夜、自分を抱かなかったのも彼の優しさだったことに気が付いた。

彼はいつも紳士だった。私が思っているよりもずっと大人だったのだ。六年前に出会った時は可愛い二枚目にしか見えなかった彼の顔には、いつしか大人の男の表情が漂っているのに気が付いた。

しかし彼は運がなかった。ついにチャンスに巡り合えなかったのだ。そして夢を諦《あきら》めた。健作は年が明ければアパートを引き払うと言っていた。

もう二度と健作に会うことはないだろう。

——今夜はどうかしてると恵子は思った。久しぶりに飲んだお酒のせいだ。

鉛筆を指先で弄びながら、何か書いてみようかなと思った。

書く紙を探した。テーブルの上にお客様用のアンケート用紙の束があった。一枚抜き出すと、裏返してテーブルに置いた。

何を書こうかと少し悩んだが、「美味しいケーキが食べたい」と書いた。

恵子はそれを読み直して、あまりのささやかな願い事に呆れた。こんなことでも、大きな夢を書けない自分が情けなくなった。

その時、ウェイターがやって来た。

「これをどうぞ」

ウェイターは手に持っていた皿を恵子の前に置いた。皿の上にはショートケーキが載っていた。白いクリームの上にはチョコレートで「Merry Christmas」と書かれていた。

「当店からのクリスマスサービスです」

ウェイターが去ってから、アンケート用紙の裏に書かれた文字を見た。

——美味しいケーキが食べたい。

恵子は声を出して笑った。

こんなことって——。私の願い事っていつもこうなのよね。自分だけの幸運なんて何もない。誰もが普通に受け取る幸運が自分にとっての幸運なのだ。でも、願い事が叶った。魔法の鉛筆だ。次は何を書こう。世界平和って書いてみようかな?

新しいアンケート用紙を取り出すと、「和明の会社が立ち直れますように」と書いた。

ケーキを食べ終え、ワインの残りを飲んでいると、携帯電話が鳴った。弟の和明からだった。

「姉ちゃん——俺だ」

和明の声がうわずっていた。

「どうしたの」

恵子も自分の声が高くなるのがわかった。

「手形の件うまくいった。融資が受けられたんだ。それに大きな仕事が同時に入った。詳しくはまた明日話すよ。とりあえず、もう心配はなくなったということを知らせようと思って——」

「それ、本当なの?」

「うん、姉ちゃんに借りた二百万円、来週には利子を付けて返せるよ」

「利子なんていらないわ。でも、本当に大丈夫なの」

「うん、奇蹟が起こったんだよ」

電話を切った後、恵子は呆然とした。喜びも大きかったが、それ以上に怖さもあった。右手に持っていた鉛筆を見た。

急に胸が苦しくなってきた。この鉛筆は本当に魔法の万年筆なのかもしれない。弟の窮状《きゅうじょう》がこんなタイミングで解決するなんて信じられない——なにか不思議な力が働いたのだとしか思えない。

恵子はテーブルの容器から新たにアンケート用紙を取り出した。そしてそれを裏返し、震える指で鉛筆を握った。

あのホームレスは三つの願いが叶うって言っていた。二つの願いを書いてそれが叶った。疑う余地はない。この鉛筆で願いを書けば、それは現実になる。

恵子は無意識に首を振った。そんな馬鹿なことが本当に起こるはずはない。単なる偶然に過ぎない。そう思いながらも、手に持っているのが魔法の鉛筆だという考えを捨てきれなかった。

何を書こう？　何を望もう？　真剣に考えると頭が痛くなってきた。

田代と一緒になりたいと書いてみようかと思った。書いた瞬間、ケーキのように田代が目の前に現れるかもしれない。「たった今、由美と別れた。恵子と一緒になりたい」——彼はそう言ってくれるのだろうか。

書くだけならいいだろう。恵子はアンケート用紙の上に文字を書きかけたが、その直前に思いとどまった。そして鉛筆をテーブルの上に投げ出した。

私って何て嫌なことを考えてるの。田代の離婚を望むなんて——。彼には家庭がある。妻もいれば子供もいる。子供には何の罪もない。戯《たわむ》れとはいえ、他人の不幸を望んでいいはずがない。たとえ冗談でもよくない。もちろん心の底で一度も望んだことがなかったとはいえない。しかし実際に紙に書いて願うこととは全然違う。それにもう田代のことは愛してはいない。銀のネックレスを見て過去の思い出が甦っただけだ。恵子は頭の中から田代のことを追い払った。

もっと楽しい願い事を考えようと思った。たとえば一度も行ったことがない海外旅行はどうだろう。テレビと写真でしか知らないパリやローマに旅するなんて最高だ。そこまで考えた時、旅行なんてお金があれば簡単に行けることに気が付いた。じゃあ一千万円くらい願ってみようか、待って、それよりも五千万円の方がいい。いや、どうせなら一億円にしよう――。

恵子は自分の浅ましさにうんざりした。お金、お金って、私、守銭奴《しゅせんど》みたい。そんなことより聞こえない左耳が聞こえるようになる方がいいな。

それとも素敵な王子様が現れるのはどうだろう。私を幸せにしてくれる優しい男性――。

突然、健作の顔が心に浮かんだ。

夢半ばに破れて故郷へ帰ろうとしている健作。あの子は優し過ぎたんだと思った。いつも自分のことよりも他人のことを考えている。十年も頑張ってきて、どんなにか辛かったことだろう。

恵子は鉛筆を手に取ると、アンケート用紙の裏に「藤沢健作がスターになりますように」と書いた。

——これで三つの願いはおしまい。

アンケート用紙に書いた自分の文章を読み直すと、折り畳んで財布の中に入れた。そしてグラスに残った最後のワインを飲み干し、伝票を持って立ち上がった。

テーブルを離れる時、財布の中に鉛筆を仕舞おうとして、見当たらないのに気が付いた。さっきまでテーブルの上にあったのに。

テーブルの上をくまなく捜したが見つからなかった。うっかり落としたのかと思って足下も捜してみたが、どこからも出てこなかった。鉛筆はまるで煙のように消えていた。

少し妙な気持ちにはなったが、願い事も全部書き終わったし、鉛筆はあきらめて店を出た。

商店街のスピーカーからはまた「ホワイトクリスマス」が流れていた。でもさっきよりも小さな音になっている。人通りもぐっと少なくなっていた。

商店街を抜け、住宅街の中にある公園にさしかかった時、後ろから人が走ってくる気配があった。恵子は道の端に体を寄せた。その横を革ジャンを着た男が走り抜けた。その走りっぷりがあまりに必死でおかしくなった。クリスマス・イブの夜にこんなに慌てている人がいる。

突然男は立ち止まり、振り返って恵子を見た。

「あれ？」二人同時に声が出た。

男は健作だった。

「お姉さん！」

健作は何とか呼吸を整えようとしたが、激しい息づかいが止まらず、苦しい表情を見せた。

「どうしたの？　そんなに慌てて」

健作は両手を膝に当て、かがみこんだ。そして顔だけを上に向けて言った。

「早く帰りたかったんだ。お姉さんに会いたくて」

「どうして？」

「一刻も早く知らせたいことがあって」

健作は息を整えた。恵子は急に胸がドキドキしてきた。まさか――そんなことありえないわよね。

「驚かないで、聞いてくれる？　俺、テレビドラマの準主役に抜擢《ばってき》されたんだ」

「――嘘」

さっきレストランで書いた文章が頭の中でぐるぐるまわった。

――健作がスターになれますように。

「嘘じゃない。今、劇団から連絡があったんだ。中国との合同制作で、長期ロケが必要な役なんだ。スケジュールがめちゃくちゃ空いてることが幸運につながった」

健作は話しながら感極まって言葉を詰まらせた。恵子も胸が詰まった。よかった、本当に！

「電車の中で電話がかかってきた時、車両に響きわたるくらいの大声を出しちゃったよ。本当にさっき決まったんだ。五分前だよ。オーディションは一ヵ月前にあったんだけど、全然返事がないから諦めてた。それが突然決まった」

恵子は何か言おうとしたが言えなかった。

「明日、テレビ局へ行って契約書を交わすんだ」

「――じゃあ、どうしてあんなに急いでいたの？」

「真っ先にお姉さんに知らせたくて」

「それで走ってたの？」

「うん」

「私が帰ってなかったら、どうするつもりだったの？」

「いると思った」

「今夜はイブよ。デートしてたかもしれないじゃない」

「そんな人いた？」健作はとぼけたように言った。「お姉さんに恋人なんて、今まで一人もいなかったじゃないですか」

「ばか」

健作の笑顔が眩《まぶ》しかった。

「でも、よかったね。これであなたの未来は明るいわ」

健作は少し顔をしかめた。

「どうかなあ。逆にこれで失敗したら、もう二度とチャンスはない」

「どうせ辞める気でいたんでしょう。だったら怖がることは何もないじゃない。失うものは何もないよ」

「そうだね」

健作は声を上げて笑った。

大丈夫よ、あなたはきっとスターになる。必ずこのチャンスを見事に摑《つか》むはずよ。だってあなたの将来は魔法の万年筆が約束したんだから。不幸な少年時代を過ごした分を取り戻してお釣りが来るほどに幸せな人生を送ることが出来るわ。

よかった、と恵子は心から思った。最後の願いに健作のことを書いてよかった。

しかし一瞬、心にかすかな寂しさがよぎった。健作はもうすぐ私の手の届かないところに行ってしまう。スターになって、やがては遠い遠い存在になってしまう――。

健作は急に鋭い目で恵子を睨《にら》んだ。

「どうしたの、怖い顔をして？」

「俺――お姉さんに言いたいことがあるんです」

「何？」

健作は大きく息を吐いた。

「俺と、結婚して下さい」

健作はそれだけ言うと、頭を下げた。二人の間に沈黙の時間が流れた。

恵子はようやく口を開いた。

「ちょっと――冗談言わないで」

「冗談じゃなかとです！」

健作は怒ったように言った。

「ずっと好きでした。初めて会った日からずっと――。六年間ずっと想ってました。でも、俺は売れない役者だし、お姉さんを幸せにする自信がなかったから、今日まで言えなかった。だから、このまま打ち明けずに、黙って故郷に帰るつもりだったんです」

恵子は何と応《こた》えていいのかわからなかった。

「大役をもらった知らせを聞いた時、真っ先に頭に浮かんだのはドラマの仕事のことじゃなくて、お姉さんのことでした。これで、プロポーズ出来るって——」

「だめよ、私なんか。おばちゃんだし——、あなたはこれからスターになるのよ」

「俺のこと、嫌いですか？」

恵子は首を振った。

「だったら、結婚して下さい」

恵子は答えられずに下を向いた。その時、彼女の目に健作の両足が震えているのが見えた。こいつ、本気だ——そう思った瞬間、恵子の足も震えてきた。

「あなたには、もっと素敵な人が現れ——」

恵子が言い終わる前に、健作は恵子を抱きしめた。薄いコートを通して健作の体の温もりが伝わった。周囲の風景がぼわっとにじんで見えた。

その時、健作の肩越しに、公園の木立の中に見覚えのあるホームレスが立っているのが見えた。白いヒゲを生やしたホームレスは恵子に向かってにっと口を歪めた。恵子はあっと思った。次の瞬間、ホームレスの姿は木立の中に消えた。目を閉じると、涙が頬《ほお》を伝って流れた。

恵子は目を瞑《つむ》ったまま、生涯で最高のプレゼントの背中に両手を回し、そして力いっぱい抱きしめた。

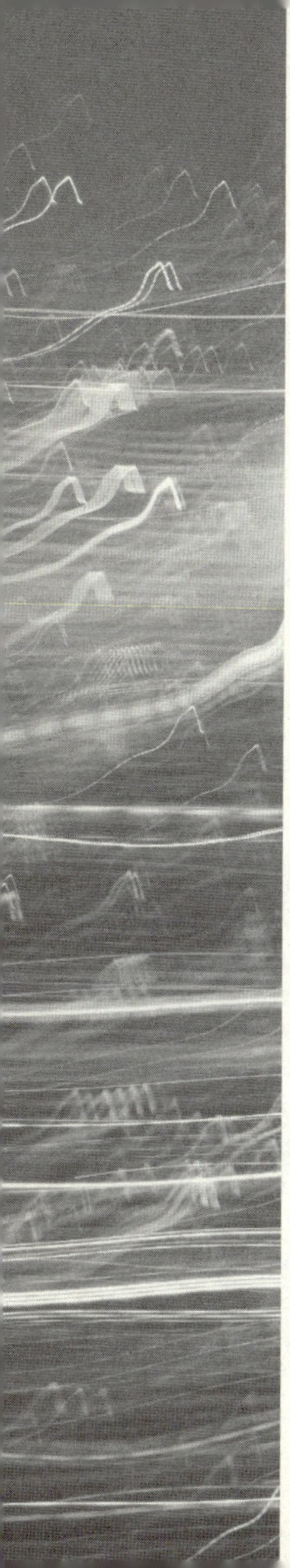

第二話 † 猫

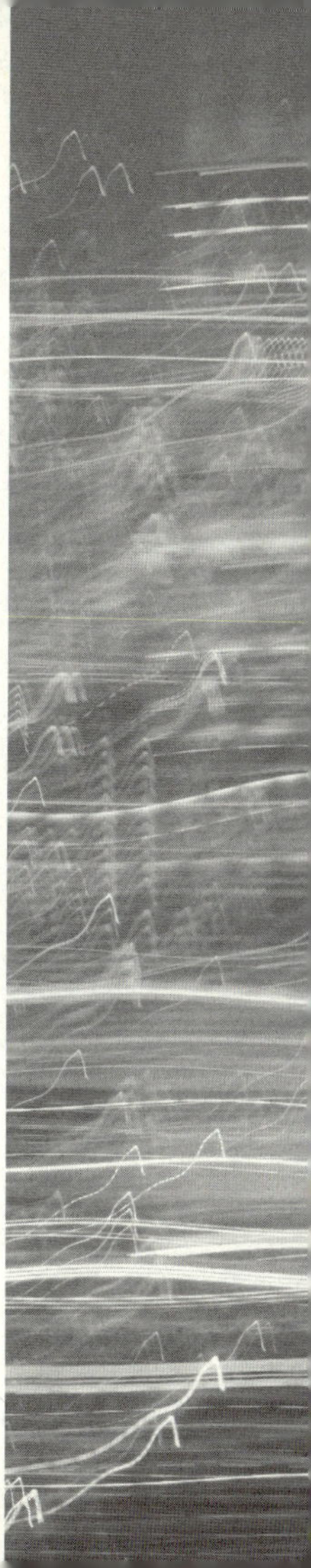

「疲れましたか？」

社長の石丸幸太に後方から声をかけられて、雅子はしまったと思った。

「全然平気です」

と慌《あわ》てて言った。一つの作業を終えて、ついほっとしてついたため息を聞かれてしまったのだ。

雅子の席から石丸の席までは数メートル以上離れている。ふだんなら聞こえるはずのないかすかなため息だったが、二人しかいないいつもと違うオフィスの中では響いてしまったのだ。

「クリスマス・イブなのに、残業させてすみません」

石丸の声が背中から聞こえた。

「大丈夫です」

雅子は後ろを振り向かずに背筋を伸ばして元気よく言った。

この会社では十二月二十四日の夜はノー残業が決まりだった。この日に限り五時にはすべての仕事が終わる。女性社員が多いということもあったが、クリスマス・イブくらいプライベートで楽しめ、というのが石丸の主義だった。

しかし今年は運悪くこなしきれない仕事がたまってしまった。それでも石丸は全員を帰らせようとした。クリスマスの予定が特にない何人かの男性社員が居残りましょうと言ったが、石丸は彼らも帰らせた。

居残り志願した社員の中に雅子もいた。雅子は派遣社員だった。会社と派遣元との間に結ばれた契約では派遣社員である雅子には残業させてはならないことになっている。石丸は雅子にも帰るように言ったが、雅子は「それなら、個人的なボランティアとしてやらせて下さい」と、居残りを強く希望した。石丸は少し迷ったが、「それならぼくとの個人的なアルバイト契約としてお願いします」と言って雅子に残業を頼んだのだった。

今夜中にやらなければならない仕事は、企画書などの書類を決められた書式に合わせてまとめ上げ、プリントアウトすることだったが、CADとエクセルの資格を持っている雅子は貴重な戦力だった。

雅子は、石丸が彼女の残業志願を受け入れてくれたのは、クリスマス・イブの夜に一人で過ごすよりも仕事をしていた方がいいという彼女の気持ちを察してくれたのだと思った。

でも二十七歳の女がイブにデートする相手もなく、髪を後ろに束ねてジーパン姿でキーボードを叩いてるなんて――典型的なもてない女だ。

石丸が「少し休憩しましょうか」と言った。

「大丈夫です」

「いや、もう二時間近く休みなしでやってるし、ぼくが持たない」

「はい」

雅子は席を立ってオフィスの隣にあるキッチンに行き、備え付けられている業務用のコーヒーメーカーでコーヒーを淹《い》れた。

石丸はいつもエスプレッソを飲む。雅子はふだんはカプチーノを飲んでいたが、今夜は彼に合わせてエスプレッソにした。

戸棚にあったクッキーと一緒に石丸のテーブルまで運んだ。

「ありがとうございます」

石丸は丁寧に礼を言った。

三十四歳という若い社長の石丸幸太は、社員の淹れてくれたお茶一杯でもきちんと礼を言う。雅子には、その丁寧な態度は社員と年齢差がないからというよりも石丸の人柄を表わしていると思った。

「今夜は青木さんがいてくれて助かりました」

石丸は美味しそうにコーヒーを飲みながら言った。

「お役に立てて嬉しいです」

「最後の最後まで働かせてごめんね」

「いいえ、今夜は私が志願させていただいたのですから」

石丸は黙って頭を下げた。それを見て雅子も慌てて頭を下げた。


雅子はこの会社で初めての派遣社員だった。

会社は社長の石丸幸太が二十代で起こしたイベント・プロデュース会社で、時流に乗って急成長していた。今年になって支社が急激に増えた時期に、たまたま女性社員が結婚退職し、もう一人が妊娠で休職したことで、雅子が四ヵ月限定の派遣社員として入ったのだ。そして今月でちょうど四ヵ月目だった。

オフィスは広いオープンな造りになっていて、一見するとお洒落《しゃれ》なカフェバー風だった。オフィススペースの中にキッチンがあるというのも変わっていた。

社長も平社員も同じ部屋に机を置いて働いていた。しかも普通の会社のように机の置き方にも序列があるような並べ方ではなく、様々な形の机がランダムに置かれていた。休憩時間は自由に取ってよく、社内の喫茶ルームでセルフサービスのドリンクを飲んで休むことが出来た。オフィスには冗談や笑いが絶えなかった。しかし一旦それぞれが仕事に集中しだすと、私語はほとんど聞かれなかった。重要な会議は別室の会議室で行われたが、新しい企画があがると、オフィスにいる全員に知らされて、意見を求められた。そんな時はオフィス全体が大きな会議室と化した。

正社員たちは雅子をよそ者扱いしなかった。これは四年間の派遣社員の生活で初めての経験だった。これまでの会社では正社員、特に女性社員からいつもどこか見下されている感じがした。仕事中は普通に話していても、プライベートでは相手にしてもらえないということが珍しくなかった。そこには見えない壁のようなものがあった。

同一労働同一賃金の原則を守る会社なんかあるはずがないのはわかっていたし、正社員と同じ仕事をしながら給料が天と地ほどの違いがあるのも仕方がないと納得していたが、それ以外のことで露骨な差をつけられるのは辛かった。パーティーや社内旅行に派遣社員が参加させてもらえないところは多かったし、ごく内輪の宴会にも誘われないこともしばしばだった。

派遣社員には社員食堂や医務室を使わせない会社もあった。福利厚生は派遣元の会社にもあるから派遣先の会社でそうしたものを享受するのは福利厚生の二重取りになるという説明を受けていたが、昼休みに一人で弁当を食べるのは惨《みじ》めで悲しかった。

しかし石丸の会社は、給料以外では雅子を正社員と同じに扱った。正社員の女性たちも雅子に同僚のように接してくれた。雅子が会社にとって初めての派遣社員だったということもあったのかもしれないが、それだけではない何かを感じた。多分この会社の空気がそういう温かいものなのだろう。それは社長である石丸の影響が大きいと思った。

雅子は出来たらずっとこの会社で働きたいと思っていたが、それが無理なことはわかっていた。

この会社には中途採用の正社員も少なくないということは知っていたが、彼らはいずれも過去の経歴がすごかった。一介の派遣社員で学歴もない自分がこんな人気のベンチャー企業に正社員として入れるはずはないと思っていた。

雅子はふとパソコンから目を離して、ちらりと石丸を見た。

石丸は休憩を終えて、真剣な顔で画面を睨《にら》みながら一心不乱にパソコンを叩いている。社員のほとんどの男性がラフな服装なのに、石丸はいつもきっちりとスーツを着ていた。しかし今夜は珍しくネクタイを外していた。イブに社員を働かせないためにキーボードと格闘している石丸の姿を見て、雅子は胸がきゅんとなった。

石丸は雅子の憧れの男性だった。

面接で初めて会社を訪れた際、一人の青年から「本日はお越し下さいましてありがとうございます。よろしくお願いいたします」と丁寧に挨拶されて部屋に通されたのだが、実はその青年が石丸だった。これまで派遣先の面接で人事担当者にさえもこんな丁寧に扱われたことがなかったから、その青年が社長と知った時は驚いた。

それだけに石丸の会社で働くよう派遣元から指示された時は本当に嬉しかった。

様々なイベントやプロジェクトに次々と新しい企画を打ち出して注目されたこの会社の人気は高く、入社の競争率も非常に高いと聞いていた。実際に派遣で働くようになってその理由の一端がわかった気がした。

石丸は明るい性格で、社長と言うよりも学生サークルのキャプテンという感じだった。背が高く、がっしりしたスポーツマンタイプの体形で髪の毛も短かった。見た目も若く、二十代に見えた。

雅子は石丸に会うたびに惹《ひ》かれていくのを感じた。話しかけられると胸がどきどきした。自分の気持ちが単なる憧れではなく恋に近いものがあるのを自覚していた。しかしこの恋が叶《かな》うはずがないのもわかっていた。

二十代で起業し、今この業界では最も注目されている青年実業家だけに、独身の石丸は女性社員の憧れの的だった。もし石丸と結婚することが出来れば、絵に描いたような玉《たま》の輿《こし》だ。女性社員の中には素敵な人が沢山いた。特に秘書の吉岡みゆきは背が高く、モデルのような美人だった。長身の石丸と並んで話していると、まるで映画のワンシーンのように見えた。強力なライバルは多分社外にも大勢いることだろう。一介の派遣社員の自分にチャンスがあるはずもない。

自分に石丸のような男性を振り向かせる魅力があるとは少しも思っていなかったし、自分を美人と思ったことも一度もなかった。たまに「きれい」と言ってくれる男性もいたが、本気にはしなかった。

もっとも石丸には社内で浮いた話はなかった。秘書の吉岡みゆきも恋人ではないという噂だ。石丸は母親と二人で暮らしているということだった。

雅子は石丸に対して尊敬と憧れ以上の気持ちを持たないようにしようと思っていた。所詮《しょせん》は叶わぬ恋だ。契約が終わって辞めていく時に悲しい気持ちになるのが目に見えていたからだ。

時計を見ると八時を回っていた。

この時間帯に会社にいることはなかったから、こんなに静かなオフィスは初めてだった。いつも知っている明るく賑《にぎ》やかな雰囲気とは全然違う夜のオフィスに、雅子は少し緊張した。

ふと今夜がクリスマス・イブというのを再び思い出した。今頃、街では恋人たちが楽しい時間を過ごしているのだ。石丸をちらりと盗み見た。石丸は変わらず一所懸命にキーボードと格闘していた。

何だか幸せな気持ちになった。クリスマス・イブの夜に、たとえ席が離れていても憧れの男性とこうして二人きりで仕事をしている状況がとても素敵に思えた。このままこの会社でずっと働けたら、と思った。

しかし契約は更新できない。年が明けたら、またどこか新しい会社に派遣される。年内の出社は来週にあと一日だけ残っていたが、雅子がやることはほとんどなかったから今夜が実質最後の仕事になる。そう思うと急に寂しくなった。もう少しで作業が終わるところだったが、終わってほしくないと思った——少しでも長く社長と一緒にいたい。

その時、石丸が顔を上げて、「青木さん」と声をかけた。雅子は驚いて「はいっ！」と大きな声で返事してしまった。

「どうしたの？」と石丸は笑った。

「すいません、大きな声を出してしまって」

「一応、ぼくの分は終わりました。青木さんの分を手伝いましょう」

「大丈夫です。私も今やっている分で終わりです。多分、あと十分くらいです。コーヒーでも飲んで待っていて下さい」

雅子はそう言って立ち上がった。

「コーヒーはぼくが淹れます。青木さんは仕事をして下さい」

「駄目です。社長にコーヒーなんか淹れさせられません」

「リーダーは部下のやることはすべて出来ないと駄目なんだよ——なんてね」

石丸は悪戯《いたずら》っぽく言うと、彼女を制して素早く椅子から立ち上がってキッチンの方に向かった。雅子はキッチンへ向かうタイミングを逸《いっ》してしまった。

まもなく石丸自らがコーヒーを運んできた。

「ありがとうございます」

「頑張ってね。悪いけど、ぼくはちょっとソファで休ませてもらいます」

「はい」

石丸が淹れてくれたのはカプチーノだった。それは雅子に小さな驚きと喜びを与えた。

一口飲むと体が温まった。書類を取るふりをしてそっと石丸の方に視線をやると、彼は靴を脱いでソファに横たわり、頬杖《ほおづえ》をついて雑誌を読んでいた。ふだんは絶対に見せない恰好《かっこう》だった。

石丸のそんな姿を見ることが出来ただけでも、今夜残業をした甲斐《かい》があったと思った。

九時前に雅子は仕事を終えた。

「お疲れさま」

石丸が待っていたかのように声をかけて、緑茶の入った湯呑みを差し出した。

仕事を終えるのをずっと見ていてくれたのかと思うと、恥ずかしさと同時に嬉しさを感じた。

「有り難うございます」

雅子は両手で湯呑みを受け取った。

石丸は雅子の隣の席に座った。雅子は急に緊張してきた。仕事を終え、こうして石丸と二人きりでいるということを改めて意識して体が固くなった。湯呑みを持つ両手も緊張でかすかに震えた。

「青木さんは派遣社員をして何年ですか」

石丸が聞いた。

「四年になります」

「その前は？」

「短大を出て書店員をしてました」

「本屋さん？」

「本を読むのが好きだったんです」

「へぇ」

「わりに大きなチェーン店だったんですが、正社員じゃありませんでした」

「そうなんですか」

「三年働いて小さな店の店長にまでなったんですが、正社員にはなれなくて——。それで辞めました」

石丸はうなずいた。

「ちゃんとした会社の正社員になろうと思って、書店で働きながら専門学校に通っていろいろ資格も取ったんですが、短大の学歴で中途採用では総合職で採ってくれるような会社はありませんでした。それで派遣会社に入りました」

そして冗談っぽく付け加えた。「いまだに正社員にはなれません」

石丸は笑わなかった。

「派遣は辛いって聞くけど——」

「それは一概に言えません。正社員には正社員の辛さがあると思いますから」

「派遣先にもいろいろあるんでしょうね？」

「はい、いろんなところがあります。ですが、石丸社長のところは最高でした」

「有り難う」

「本当です。私、心からそう思っています。職場の雰囲気もアットホームで最高に素敵で、それに社員の皆さんも素晴らしい方ばかりで、こんなところでずっと働くことが出来たら最高だと思っています」

一番素敵なのは社長だと言いたかったが、それを口にする勇気はなかった。

「まあ、うちは歴史のある会社じゃないから、みんな友達みたいな感じだしね。ワンフォーオール・オールフォーワンでいくしかないよ」

雅子は石丸が学生時代ラガーマンだったという噂を思い出した。

「いずれもっともっと大きな会社になると思います」

雅子の言葉に、石丸は、そうなればいいですがと明るい声で言った。

「青木さんは一人暮らしですか？」石丸が聞いた。

「いいえ」

「ご両親と一緒なの？」

「両親は山梨にいます」

「すると――」石丸はいたずらそうな笑顔を浮かべた。「彼氏ですか？」

「一応、男性ですが……」

「意味深長な言い方ですね」

「すいません、おかしな言い方をしました。同居相手は猫なんです」

「猫？」

雅子はうなずいた。

「品種は何ですか？」

「雑種です。トラ猫です」

「トラですか。誰かにもらったの？」

「拾ったんです。のら猫でした」

「よほど可愛かったんですね」

「はい。でも他人が見たら可愛く見えないと思います。飼い主バカですから」

石丸は「飼い主バカ」という言い方がおかしかったのか声を上げて笑った。

「うちのみーちゃん、毛が方々抜けていて、それに――片目がないんです」

「え！」

石丸が驚いた声を上げた。

「だから知らない人が見たら、気味悪がります」

「――病気でそうなったの？」

「わかりません。拾った時からそうでした」

「ふーん」

「雨に濡《ぬ》れてすごく弱っていたんです。もう動けないくらいに――。片方しか見えない目で、私の顔を見たんです」

石丸にじっと見つめられ、雅子は緊張した。

「私、実はその日、男の人にふられたんです。それで、その猫と目が合った時、自分を見ているような気持ちになったんです」

その時、石丸の携帯電話が鳴った。石丸は雅子に「失礼」と言って電話に出た。雅子はそっと椅子を立って部屋を出た。

廊下に出てから急に恥ずかしくなった。なんであんな話をしてしまったんだろうと激しく後悔した。男にふられて病気の猫を拾ったなんて、あまりにも情けない話ではないか――。

せっかくの楽しいムードも壊してしまったし、悲しい過去も思い出してしまった。

――あの夜、宮本にすっぽかされて泣きながら街を歩いていた。

宮本は雅子が当時、派遣されていた会社の係長だった。一流大学を出ていたが、同期の中では出世が遅れていた。

しかし宮本は優しかった。仕事のことでも親切にアドバイスしてくれた。それに優しいだけでなく情熱的だった。妻帯者であるにもかかわらず、毎晩のように雅子に電話をかけてきた。雅子がどれだけ断っても少しもしょげることなく何度もデートに誘ってきた。こんなに積極的に迫られたのは初めてのことだった。不倫などは絶対にしないと誓っていた雅子だったが、いつしかその情熱に負けて、宮本を愛するようになってしまった。「妻とはうまくいっていない」という彼の言葉を真《ま》に受けたわけではなかったが、「雅子のことが一番好きだ」という言葉は信じた。

しかし宮本が情熱的で優しかったのは付き合うまでの半年だけだった。男女の仲になった途端、彼の態度は急速に変わっていった。しかしその時はもう雅子は彼のことが好きでたまらなくなっていた。

二年の間、雅子は宮本にとって完全に「都合のいい女」になっていた。デートの誘いは月に一度くらいで、会えばいつもいきなりラブホテルだった。映画に行ったり、旅行に行ったりということはほとんどなかった。

後から思えば、宮本は雅子の方から別れを切り出すように持っていったのかもしれなかった。それでも去年はクリスマス・イブに食事の約束をしてくれた。泊まりは出来ないが一緒にイブの夜を過ごそうと言われたのだ。しかしその約束は当日になって反故《ほご》にされた——。初めからそのつもりだったのか、当日本当にやむにやまれぬ急用が出来たのかはわからない。

その夜、雅子は一人で食事をしながらワインを一本飲んだ。お酒に弱い雅子がワインをそれだけ飲んだのは初めてだった。

店を出ると冷たい雨が降っていた。傘を忘れた雅子はコートの襟《えり》を立てただけで濡れたまま歩いた。雅子の足は自然に盛り場の方に向かっていた。その時に見つけたのがみーちゃんだった。

最初は歩道の端に転がっている猫の死骸と思った。よけながら通り過ぎようとした時、いきなりそれが動いたので、思わず飛び上がった。そのまま足早に猫から離れたが、少し行ってから後ろを振り返ってみると、猫はその場にうずくまったままだった。

おそるおそる猫に近付いた。仔猫と思っていたがよく見ると成猫だった。猫が頭を上げた。片目が白く濁っていて、残った黒い目で雅子を見つめた。そのすがるような目を見た時、雅子はたまらない気持ちになった。

この猫はもうすぐ死ぬ。それなら、こんな雨に濡れた冷たいアスファルトの上で死ぬよりも暖かい部屋で死なせてあげたいと思った。

雅子はしゃがんで猫を抱き上げた。すれ違ったサラリーマン風の二人連れがそれを見て何か冗談を言ったが、気にならなかった。

猫は痩《や》せこけていて拍子抜けするほど軽かった。体中の毛が方々抜けているのに気が付いた。可哀相に、病気だったのね。

コートで猫をくるむようにして盛り場を離れた。

マンションの部屋に戻ると、牛乳を温めてスプーンで猫に与えた。猫はサクラ貝のような小さな舌を出して飲んだ。猫はわずかな牛乳を一時間くらいかけて飲むと、そのまま寝てしまった。

毛布を用意して、猫をその上に寝かせ、上からタオルをかけた。

夜中に何度も起きて猫の様子を見た。寝ている猫のお腹が呼吸に合わせて動いているのを見てほっとした。

夜中、猫が鳴く声で目が覚めた。見ると、猫の毛布が濡れている。おしっこをしたのだ。猫は雅子の顔を見て悲しそうに鳴いた。雅子には、猫が粗《そ》相《そう》したのを謝っているように見えた。その姿がいじらしく思えて泣きそうになった。

「いいのよ。寝てなさい」

優しく言いながら濡れた毛布を新しい毛布に替えてやった。

翌朝、猫はまだ生きていた。雅子は近所の動物病院に猫を連れて行った。

年老いた医者は、飼い猫ですか、と聞いた。雅子は昨日、道で拾ったと言った。

医者は猫を診察して言った。

「栄養失調です。それにお腹の中は寄生虫だらけです。多分、相当ひどいものを食べたのでしょう」

雅子は可哀相にと思った。

「鳥につく寄生虫までいました」

「助かりますか？」

医者は「まず無理でしょうな」と言った。雅子は、やっぱりと思った。

「助かったら、どうします？　放しますか、それとも飼うつもりですか？」

「飼います」

医者はじっと考え込んだ。

「やるだけのことはやってみましょう」

医者は猫にいくつかの注射を打ち、点滴までした。

「寄生虫の薬はきついので、体力が持ち直してからやりましょう」

驚いたことに医者はお金を受け取らなかった。「命が助かれば、もらうことにします」

その日一日、雅子は猫と一緒に過ごした。猫は死ななかった。

翌日、会社を休み、猫を再び病院に連れて行って、点滴注射をしてもらった。その日の午後、猫は初めて起きあがることが出来た。雅子は嬉し涙が込み上げてきた。

年が明けると、猫はすっかり元気になった。結局医者は治療費を受け取らなかった。「その代わりに大事に飼ってあげて下さい」と言った。雅子はお礼に花を贈った。

雅子は猫に「みーちゃん」と名付けた。

家に帰る楽しみが出来た。

「みーちゃんは、どこから来たの？」

時々、猫に話しかけた。みーちゃんは雅子の顔を見て、にゃーと鳴いた。

後になってから雅子は思った。みーちゃんは私を助けに来てくれたのかもしれない、と。

——あの夜、私は人生に絶望していた。恋人に捨てられて自暴自棄になりかけていた。誰でもいいから自分に声をかけてきた男に抱かれようと思っていたのだ。自分をめちゃくちゃにしたい気持ちだった。盛り場に足を踏み入れたのもそのせいだ。体が欲しくて愛を謳《うた》うような男よりも、ただ体が欲しいとだけ言う男に好きにされたいと思ったのだ。しかし自分に声をかけたのは男ではなく、病気の猫だった。

あの時、みーちゃんを拾い上げなければ、私は取り返しのつかないことをしてしまったかもしれないと思った。

私がみーちゃんを助けたんじゃなくて、みーちゃんが私を助けてくれたのだ。

みーちゃんと暮らすことで雅子の生活は制約のあるものになった。友人たちと泊まりがけの旅行にも行けなくなった。動物病院やペットホテルに預けたらいいと友人は言ったが、とてもそんな気にはなれなかった。言葉が通じる相手なら言い聞かせることも出来るだろう。しかしみーちゃんは言葉がわからない。みーちゃんにしてみれば、捨てられたと思うだろう。見知らぬ人がいるところに連れて行かれ、小さな檻《おり》に入れられる。わずか一日か二日のことだけど、その間どれだけ絶望的な気持ちになるか——それを想像すると、そんなことはとても出来なかった。それにみーちゃんは人を怖がる猫だった。雅子の部屋に友人が遊びに来ても、奥の部屋から絶対に出ようとはしなかった。多分、人間によほど怖い目に遭わされたのだろう。それだけに唯一自分にだけは心を開いてくれるみーちゃんが愛《いと》おしかった。

　飲みに行って帰りが遅くなるのも嫌だった。雅子はたいてい朝早くに家を出る。みーちゃんは狭い部屋でぽつんとじっと雅子の帰りを待っているのだ。冬の寒い日、安《やす》普請《ぶしん》の賃貸マンションの部屋は夕方以降底冷えする。みーちゃんはその寒い部屋で過ごしているのだ。逆に夏は部屋の温度が上がって蒸し風呂みたいになる。でも留守中ずっとクーラーをつけている余裕はない。広い冷房の効いた部屋で過ごさせてあげたいと雅子は何度思ったかしれなかった。だからせめて少しでも早く帰ってみーちゃんの顔を見てあげるのが、自分に出来る精一杯のことだと思った。

　時々、雅子は思った。みーちゃんはあと何年生きられるかわからないけど、一緒に暮らしている間は恋人も出来ないかな、と。でもそれも運命かもしれないと思った。みーちゃんがいたからこそ、この一年間自分も頑張ってこられた。だから、みーちゃんと一緒に生きよう。

　時々、馬鹿げた想像もした。みーちゃんは本当は猫なんかではなくて実は素敵な男性で、魔法にかかってこんな姿に変えられているのかもしれない。ある日、魔法が解けて元の姿に戻り、自分にプロポーズする――この空想は雅子のお気に入りだった。

時々みーちゃんの鼻を撫《な》でながら、

「早く元の姿に戻ってね、私、待ってるから」

と言った。

そんな時いつもみーちゃんはにゃーと可愛い声で鳴いた。


雅子が帰る支度をしていると、電話を終えた石丸が声をかけた。

「青木さん、よかったら、ご飯食べて帰りませんか」

思わず心の中で「嘘！」と叫んだ。石丸に食事を誘われるなんて、思いもかけないことだった。石丸が義理でそう言ってくれているのはわかっていたが、それでも嬉しいことに変わりはなかった。

雅子は、はい、と答えようとして、みーちゃんのことを思い出した。寒い部屋でじっと自分の帰りを待っているみーちゃん——しかも今夜に限って晩ご飯を用意していない。

雅子はそれに目をつぶろうとした。今夜だけは悪いけど、みーちゃんに少しだけ待ってもらおう。しかし口をついて出た言葉は「はい」ではなかった。

「すごく嬉しいお誘いなんですが——」と雅子は言った。「家に猫が待ってるので、帰ります」

「みーちゃんですね」

「はい」

石丸が「猫」と言わずに「みーちゃん」と名前で呼んでくれたことにさりげない優しさを感じた。

「いつもは遅くなっても大丈夫なようにお碗にたっぷりご飯を入れてあるんですが、今夜は入れてないんです」

「どうして？」

雅子はちょっと返事に戸惑った。理由を言うのが少し恥ずかしかったからだ。

「今夜はクリスマス・イブだから、みーちゃんと一緒にイブを過ごそうと思って、大好物のキビナゴを買ってあるんです。帰ったら、料理してあげようと思って――」

「みーちゃんはキビナゴが好きなんだ」

石丸は笑った。雅子は言うんじゃなかったと思った。

「だから今夜は遅くなれないんです。ごめんなさい」

雅子は頭を下げながら、自分は何てついてないんだろうと思った。憧れの石丸と食事出来るチャンスなんか二度とないのに。多分、一生。

「青木さんの晩ごはんも魚ですか？」

「いいえ、私はケーキを買って帰ります」

「実はずっと青木さんと一度ご飯を食べたいと思っていたんですが、機会がなかった。今夜、偶然そのチャンスが巡ってきたと思ったんですけど――残念です」

雅子は石丸の目を見た。お愛想で言っているとは思えなかった。胸がどきどきした。

二人でオフィスを出る時に、石丸はもう一度言った。

「一時間くらい駄目かな？　さっと食べてさっと帰れば、それほど遅くなりません」

雅子はさっき見た腕時計の時刻を思い出した。たしか九時を少し過ぎたくらいだった。今からご飯を食べても十時半までには帰れる――みーちゃん、ごめん！

「わかりました」と雅子は言った。「ご一緒させて下さい」

石丸はにこりとした。

「無理に誘ったかな」

「いいえ、そんなことはありません」

「じゃあ、軽く食べて、早く帰りましょう。みーちゃんのためにも」

「はい」

石丸は会社のすぐ近くにある食堂に誘った。古い洋食屋でハンバーグとエビフライがついた定食のメニューが一番人気の大衆的な店だった。

客の多くは近くの会社のサラリーマンで、クリスマス・イブを過ごすような若いカップルなど一組もいなかった。でも雅子にはそんなことは関係なかった。

憧れだった石丸社長とこんな風に一緒に食事しているなんて夢のようだと思った。しかもイブのディナーだ。テーブルの上のお酒はワインでなくビールで、料理はフランス料理ではなく店の定食だったが、雅子にはどんな高級な料理やワインよりも素敵な食事だった。

ただ一つ残念だったのは、ジーパンにセーターという今夜の自分の恰好だった。クリスマス・イブなんだからもう少しお洒落な恰好をしてくればよかったと本気で悔やんだ。でもこんなことがあるなんて予想がつくはずもない。

石丸はふと言った。

「青木さんは今月でうちとの契約が切れますね」

「はい」

「来年からの予定はありますか？」

「いいえ、派遣元からはまだ何も聞いてません」

石丸は軽くうなずいた。

「ぼくはこの四ヵ月間ずっと青木さんの仕事ぶりを見てきました。実に真面目《まじめ》で誠実な仕事ぶりでした。それに非常に優秀でした」

「そう言っていただけて大変嬉しいです」

「こんなことを今の段階で社長のぼくが言ってはいけないんですが——」石丸は急に真面目な顔をして言った。「ここだけの話にしてもらえますか？」

雅子は少し緊張して「はい」と言った。

「来年からうちに来てもらえませんかという話になったら、どうされます？」

「それは会社の方に言っていただかないと、私が自分で決められる問題ではありませんから」

「いやいや」石丸は手を振った。「契約の延長の話ではありません。うちの正社員になる気はありますか、という話です。有能な人は是非うちに来てほしい」

雅子は飲みかけていたビールを思わず喉《のど》に詰まらせた。

「契約違反なのは承知しています。公になったら、下手すると訴訟問題です」

雅子も派遣先の会社が派遣社員を引き抜くことが契約違反であることは知っていた。だからこそ派遣先の正社員になれる夢など持っていなかったのだ。しかしこの契約は派遣会社を守るためのもので、派遣社員のためではないことも知っていた。派遣会社は派遣先の会社に人を紹介するだけで賃金の三割近くも搾取していながら、派遣社員を契約で縛《しば》っているのだ。

「たしかに引き抜きは法律違反かもしれないけど、労働者がより条件のいいところへ転職する自由を奪う権利はないと思う」

雅子は石丸の言葉にうなずいてもいいものなのかどうか迷った。

「ただ、まだ契約期間中に交渉したことはぼくのミスです。コンプライアンスがなってませんね」

「聞かなかったことにします」

「それはノーという意味？」

雅子は返事に詰まった。

「契約違反の申し出を聞かなかったことにしてもらえるのは有り難いんですが、まるっきりない話にされると辛いな。ぼくは本気で言ってるんです。ずっと考えていたことですが、今夜気持ちが固まりました。もし青木さんがうちに来てくれたら、重要な戦力になるな、と」

「買いかぶりです」

「ぼくはこう見えても経営者ですよ。それなりに人を見る目は持ってるつもりです。青木さんは他の社員の経歴に臆しているみたいだけど、彼らだって入ってしまえば経歴なんか関係ない。自分の力で勝負するしかないんです」

雅子はなんと答えていいのかわからなかった。

「もちろん、ぼくの一存では無理です。人事の担当役員と相談しての話になりますが、その前に当人の気持ちを聞いておかないといけないから——。それに、引き抜きの問題もあるので、すぐにうちに来てもらうのはいろいろとややこしい。だから内定しても、入社は少し間を置いて、正式に来てもらうのは来春ぐらいになると思います」

まさか、こんなことって——これはクリスマス・イブのプレゼント？　それともドッキリゲームか何かなの？

「噓みたいです。石丸社長の会社に入れたら最高です。夢みたいです」

「そんなにたいそうなものじゃないです」石丸は言った。「それに、まだ決定じゃないから、感謝するのは早いですよ」

「はい。すいません」

雅子ははしゃぎ過ぎたことを反省した。優しい石丸にプレッシャーを与えることになったかもしれないと思ったのだ。

「すいません、喜び過ぎてしまって——。私が喜んだからって、気になさらないで下さい。あくまでビジネス優先でお願いします」

石丸はうなずいた。

「話は変わるけど、青木さんは付き合っている人はいないのですか？」

「いません」

「さっき、彼氏と別れた日にみーちゃんを拾ったって言ってたけど——それ以来、いないの？」

「別れたんじゃないですよ。ふられたんです」

石丸は雅子の言い方にどう返事していいのかちょっと迷ったような顔をした。

「社長はお付き合いされている方がいらっしゃるんですか」

雅子は話題を石丸のことに向けた。

「いないよ」

石丸のあっさりした答えに、雅子はかえって焦ってしまった。

「どうして結婚されないんですか？」

聞いてから、不躾《ぶしつけ》な質問をしたことを後悔した。

「ぼくの年齢で結婚しないのはおかしい？」

「すいません。そんな意味ではありません」

雅子は慌てて言った。

「社長ならきっともてるのに、どうして結婚しないのかなと思って――」

「もてないよ」

「もてますよ。女性社員には何人も社長に憧れてる人がいます」

「それは上司として憧れてるだけだよ」

「違います。皆、男性として憧れています」

雅子はそう言ってから、少し顔が赤くなるのを感じた。石丸はナイフとフォークを皿の上に置いた。

「会社を作った時に、一つ自分で決めたことがあります。それは公私のけじめをつけるということ。たとえば自分の身内を役員にしたり、仕事の出来ない友人を社員にしたりは絶対にしない、と」

「はい」

「それともう一つ、部下の女性とは絶対に恋愛関係にならない。別に社内恋愛を禁じてるわけじゃないよ。でも社長であるぼくが部下の女の子に手を付けることはしないと決めたんだ」

「手を付けるって——。普通に恋愛することは自然です」

「うん、それもわかってる。でもこれはぼくの考え方だから」

石丸はきっぱりと言った。

「私、さっき、男の人にふられた夜に猫を拾ったって言ったじゃないですか」

石丸はうなずいた。

「その人は前の派遣先の社員でしたけど、それまでの契約社員の女性と何人も付き合っていたらしいんです。多分——派遣なら手を出しやすいと思っていたんだと思います」

「そういう男は、何度もそういうことを経験してるから、女性をその気にさせるテクニックも上手《うま》くなるんだよね」

　雅子はそうかもしれないと思った。

　宮本はたしかに女心をとろけさせる話術を持っていた。結局、彼は何が欲しかったんだろう——私をものにするということが目的だったんだろうか。だとしたら、何という悲しい男なんだろうと思った。仕事が出来ず出世コースからも外れて派遣の女の子をものにすることだけが唯一の楽しみになっている男——。

　これまで宮本のことを思い出すと怨《うら》みしか感じなかったが、石丸のような男を目の前にすると、むしろ宮本が哀れな男に思えてきた。


「送りましょう」

　店を出た時、石丸は言った。

「遅くまで付き合わせてしまったから」

　雅子はどきんとした。

「大丈夫です。まだ十時ですから」

「いいです、いいです」

　石丸は雅子の言葉を無視してタクシーを止めた。

タクシーの中で石丸の横に座りながら、ビールの酔いも手伝って少し夢心地の気分だった。

憧れの男性に家まで送ってもらえるなんて——しかも今夜はクリスマス・イブだ。神様が一年前の埋め合わせをしてくれたのかしらと思った。だとしたらもう十分だわ。派遣の仕事の最後に、本当に素敵な夜をプレゼントしてもらった。

タクシーは雅子のマンションの近くに来た。

ここでいいです、と雅子はタクシー運転手に言った。雅子のマンションは車が入れない細い道に面していた。

「今夜は本当に有り難うございました」

そう言ってタクシーから降りると、驚いたことに石丸も一緒に降りてきた。

「水を一杯飲ませてくれませんか」

「え？」

「ちょっと喉が渇いて——」

雅子は石丸の顔を見た。石丸は少し照れたような表情を浮かべた。

「お水でいいんですか？」

石丸はうなずいた。

雅子は混乱した。この人の欲しいのはお水？　それとも別のもの？

「うちにはミネラルウォーターは置いてないんですが――」

自分は何を言っているのだろうかと思った。

「普通の水道水でいいです」

雅子は、わかりましたと言ってマンションに向かった。石丸がその後に続いた。

雅子の住むマンションは細い坂道に面した五階建ての古い賃貸マンションだった。雅子の部屋は三階だ。

狭いエレベーターに石丸と二人で乗っている時、雅子は心臓の音が石丸に聞こえるのではないかと思った。石丸と目を合わすのが怖くて、ずっと扉の上の表示ランプを見ていた。十秒あまりの時間がとてつもなく長く感じた。

エレベーターを降りて廊下を歩いている時、ふと、この人はこういうことをよくする人なのだろうかと思った。社員には手を出さないと言っていたのに、私が派遣だからかまわないと思っているのだろうか。

急に悲しくなった。そんな風に扱われることよりも、憧れていた石丸がそんな男なのかもしれないということが悲しかったのだ。なぜ、「好き」と一言言ってくれないのだろうかと思った。「好き」と言わないのは、後で言質《げんち》を取られるのを恐れてのことなのだろうか――あくまでドライなセックスだけの関係にしたいのだろうか。

雅子は石丸を部屋には入れないと決めた。廊下で待たせてコップに水を入れて持ってくる。そして飲んだら帰ってもらう。

石丸のことは大好きだったが、だからこそ部屋に入れることは出来ないと思った。石丸を部屋に入れたら、多分自分は何も抵抗出来ないと思った。彼の望むものを全部与えてしまうだろうと思った。でもそうなったら、きっと石丸のことを軽蔑もしてしまう。石丸のことを嫌いになりたくない——。

雅子が玄関の前まで来た時、猫の鳴き声が聞こえた。

「みーちゃん?」と石丸が聞いた。

「はい。私が帰ってくると、いつも玄関まで来て鳴くんです」

「足音でわかるんだね」

雅子は鍵を差し込んでドアを開けた。

「ここで待っていて下さいますか?」

石丸は少し強張《こわば》ったような表情で黙って顎《あご》を引いた。雅子はその顔を見て、怖いと感じた。

ドアを開けると玄関にみーちゃんが待っていた。みーちゃんはいつものように雅子の足に体をこすりつけてきた。その時、雅子は背後に石丸の気配を感じた。振り返ると、石丸が玄関に半身を入れ、すぐ後ろに迫っていた。雅子は動転した。

「これがみーちゃんです」

何か言わなければと思って、足下の猫を指さした。

石丸は猫をじっと見つめた。その時、不思議なことが起きた。みーちゃんは雅子の足から離れて石丸の足に体をこすりつけたのだ。雅子はみーちゃんが自分以外の人間に近付くのを初めて見た。

「みーちゃん、どうしたの？」

みーちゃんは石丸の足に体を預けるようにしてごろごろと喉を鳴らした。その大きな音は雅子にも聞こえた。

石丸はしゃがんで、みーちゃんを抱き上げた。みーちゃんはおとなしく抱かれた。

「ミーシャ！」

と石丸は言った。みーちゃんはにゃーと鳴いた。石丸はみーちゃんに頰《ほお》をつけた。

「――社長の、猫だったんですか」

石丸は猫を抱きしめたままうなずいた。


「ミーシャはぼくが大学生の時に拾った猫だったんだ」

石丸はダイニングの椅子に腰掛けながら静かに語った。

「冬の寒い日に捨てられていた。病気にかかっていて、目は潰《つぶ》れていた。ああ、この子猫はひとりぼっちで死んでいくのかと思うと、たまらない気持ちになって拾って帰ったんだ。医者には助からないと言われたけど、奇跡的に助かった。それ以来、十年間、我が家の一員だった」

　雅子は黙って頷いた。こんな偶然が本当にあるなんて、いまだに信じられない気持ちだった。

「ミーシャが行方不明になったのは一年半前だった。母が予防接種の注射を打ちにミーシャを動物病院に連れて行った日、車から飛び出してしまい、運悪く、たまたま通りがかった散歩中の犬に吠えられて逃げてしまった。それから母もぼくも一所懸命に捜した。でも、見つからなかった。希望的なことも考えようとした。もしかしたら誰かに拾われて飼われているかもしれない、飼われないまでも、どこかで誰かに餌をもらってるかもしれない、と。でも、ミーシャは可愛い猫じゃない。拾われるどころか、逆に気持ち悪がられていじめられているかもしれない。ミーシャが辛い目に遭っているかと思うと、ぼくも辛くて眠れなかった」

「――わかります」

「それが、こんなに大事にしてもらえていたなんて――」

　俯《うつむ》いた石丸の目に光るものが見えた。雅子は見てはいけないような気がして目を逸《そ》らした。

「青木さんの拾った猫がトラ猫で、片目で、毛が抜けていると聞いて、もしかしたらと思ったんだけど。まさか、本当にミーシャだったとは――」

「水が欲しいなんて嘘だったんですね」

石丸は少しバツが悪そうな顔をした。

「私、すごく、緊張しました」

雅子は勝手な勘違いでどきどきしてしまった自分が恥ずかしかった。と同時に、石丸が食事に誘ってくれたことも、家まで送ってくれたことも、すべては猫を確かめたくてしたことだったたことに気付いて少し寂しくなった。

石丸は急に頭を下げながら、

「青木さん――」と言った。

「さっき、来年正社員になってほしいと言ったね」

「はい」

「申し訳ないけど、その話もなかったことにしてもらえますか」

雅子の体から力が抜けた。

「いいんです。気にしないでください。私、本気にしてませんでしたから」

必死で笑顔を作ってそう言った。

「ぼくはずっと公私のけじめを守ってきたと言ったね」

「はい」

「青木さんが正社員になったら――」

石丸は険しい顔をして言った。

「青木さんに交際を申し込むことが出来なくなってしまう」

みーちゃんがにゃーと鳴いた。

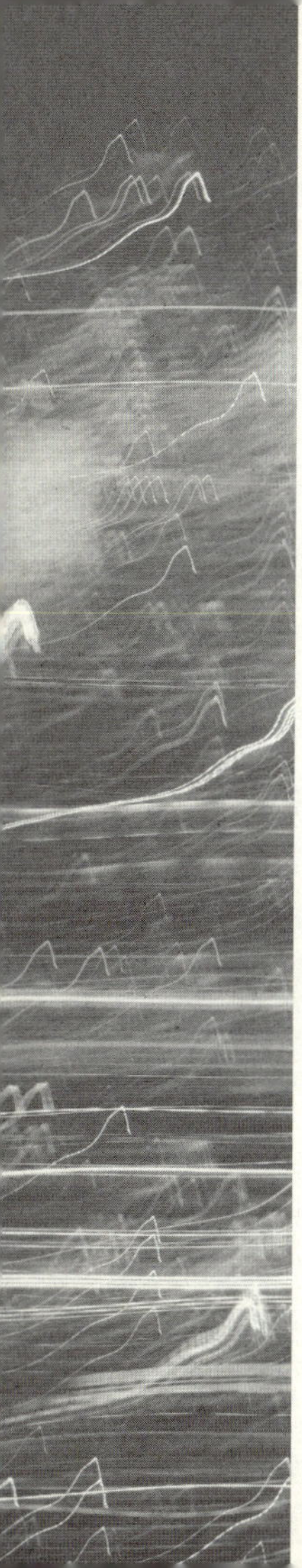

第二話 † ケーキ

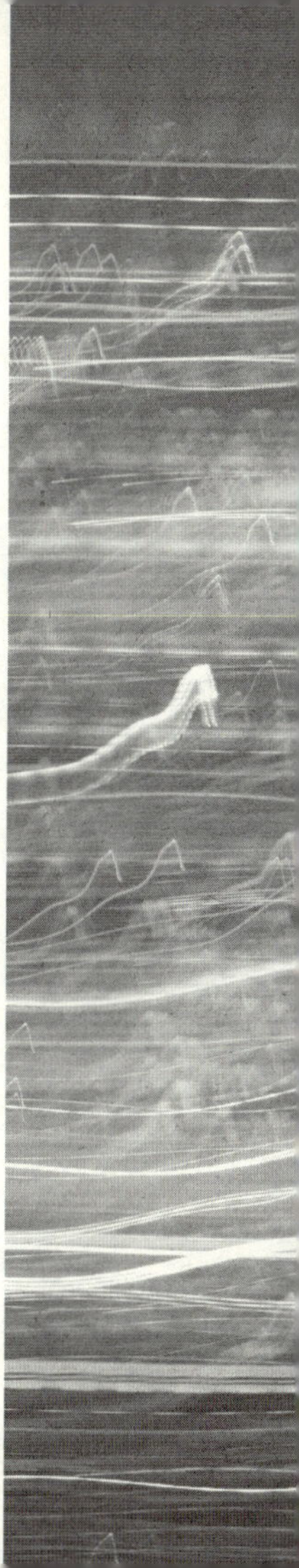

「先生、九時からうちの科だけで簡単なクリスマス会をやるんですが、お時間空いてます？」

ナースステーションに戻ってきた看護師の立石律子が大原に声をかけた。

大原は書きかけのカルテから目を離して壁の時計を見た。

「大丈夫だと思う」

「イブの夜まで仕事している者同士で慰め合いましょう。ケーキも買ってあります」

立石の後輩の寺田美香が言った。

「ワインもあればいいんだが」大原が言った。

「勤務中ですよ」

「イブを返上して仕事をしてるんだ。それくらいはいいだろう」

二人の看護師は笑った。

「私は子供も成人してるからクリスマスなんか関係ないけど、独身の大原先生や美香ちゃんはイブの夜なのに仕事なんて可哀相ね」

「私はいいんです。先月、彼と別れたとこですから」寺田はあっけらかんと言った。

「その代わり正月休みはきっちりもらいました」

大原は心の中で苦笑した。毎年クリスマス・イブは若い看護師が休みを取りたがる。早い者は二ヵ月も前からリクエストする。多分今夜は世の中のいろんな職場で若い女の子たちが一斉にいなくなっているんだろうなと思った。

しかしクリスマスだからといって病気は進行をやめないし、「死」も休んでくれない。

ふいに立石が言った。

「杉野さん、今夜持ちそうでしょうか？」

「五〇二号室の杉野さん？」

立石はうなずいた。

「夕方には血圧も下がっていたし、意識レベルもかなり低下していたからね——」

それを聞いて立石は悲しそうな顔をした。

「あの子はまだ二十歳なのに——」

「その人、助からないんですか？」寺田は言った。

「全身に癌が転移しているし、若い分、進行も速かった」

二人の看護師は黙った。

大原はナースステーションの壁に貼られてあるサンタクロースのイラストに目を留

めた。若い女性看護師の誰かが色鉛筆を使って描いたのだろう。サンタは大きな袋を背負ってにこにこ笑っていた。ふきだしには「メリークリスマス」と書かれていた。

大原はそれを見ながら心の中で呟《つぶや》いた。――今夜はサンタも大忙しだな。

神様は意地悪だわ。

私にはとうとう人並みの幸せな人生を与えてくれなかった。

私は両親の顔も知らない。赤ちゃんの時に病院の前に捨てられたからだ。真理子という名前は看護師さんがつけてくれた。杉野という苗字は病院が建っていた町の名前だ。

私は施設で育った。だけど幸せになろうと必死で頑張った。でも小さい時から何をやらせても出来の悪い子だった。勉強も運動も人並み以下だった。その上、私は泣き虫だった。優しいお母さんが出てくる本などを読んだ時は、顔も知らないお母さんのことを想ってよく泣いた。

でもいつか母に会えるような気がした。私の名付け親になってくれた看護師さんは「お母さんはあなたを捨てたわけじゃないのよ。きっとすごく苦労したから、少しの間、病院にあなたを預けただけなのよ」と言ってくれた。

私はその言葉を信じた。いつかお母さんが迎えに来てくれると本気で思っていた。

でも施設を出る頃にはそんな夢は捨てていた。

中学を卒業してから美容学校に通いながらスーパーマーケットで働いた。小柄な私はよく小学生に間違われた。そこでも不器用な私はいつも講師に怒られてばかりだった。アパートに戻ってから一人でハサミを持って何時間でも練習した。指の皮が破れて血が出たが、そこに絆創膏《ばんそうこう》を貼って練習した。

卒業試験は信じられないことに三番の成績を取れた。講師に誉められた時は嬉しくて泣いてしまった。

美容院に就職が決まって、それまで働いていたスーパーマーケットの人たちから「おめでとう」と言われて花を贈られた。

初めてお客様の髪を切った時のことは今でも覚えている。中年の女性だった。ハサミを持った手が震えて止まらなかった。店長の藤崎英子先生のところまで行き、「出来ません」と言った。すると藤崎店長は私の手を取って、店の奥に連れて行った。そこでいきなり平手打ちされた。

「ここは学校じゃないんだよ。あんたはプロだ。プロの仕事をしなさい」

ふだんは優しくにこにこしている店長の初めて見る怖い顔だった。

「私はこの仕事を二十年もやってるんだよ。腕にも目にも自信がある。その私があなたの腕を見て雇ったんだよ。私を馬鹿にしてるのかい！」

私の震えは止まった。

店に戻ってお客様のカットをした。頭の中にはハサミと髪の毛のことしかなかった。カットを終えた時、お客様は鏡をじっと睨《にら》んだ。

「すごく素敵！」

お客様がそう言った時、初めて我に返った。

藤崎店長がそばにやって来て「よく出来ました」と言った。店長の目に涙が浮かんでいるのを見た時、私は声を上げて泣いた。他のお客様も美容師たちもみな私を見つめているのがわかったが涙は止まらなかった。

店長がお客様に言った。

「この子は今日が初めての仕事です。ご不満はございませんでしょうか」

「いいえ、とても素敵なカットです」

店長は深々と頭を下げた。店内に一斉に拍手が起こった。

それからはわき目もふらずに働いた。閉店した後もウイッグで一人練習した。

その年、信じられないことが起こった。藤崎店長に勧められて出場したコンテストで準優勝したのだ。準優勝が決まった瞬間、応援に来てくれた藤崎店長の胸に飛び込んだ。十九歳だった。

もう随分遠い日の出来事のように思える。でもあれから一年しか経っていない。

こうして病院のベッドに横たわっている自分が嘘みたいな気がする。でも何もかも真実だ。もう自分の命が長くないのはわかっている。意識も朦朧《もうろう》としている。もしかしたら今夜死ぬかもしれない。

私は恋も知らないままに死んでいくのだ。そのことが悲しかった。私は男の人と付き合ったこともない。

皮肉なことに入院して初めて男の人に胸がときめいた。大原先生——私の主治医だ。若くてハンサム、痩《や》せて背が高い。明るくて、いつも楽しい話をしてみんなを笑わせている素敵な人だ。

先生の前で胸をはだけるのは恥ずかしかった。いつもドキドキした。

でもそれよりも男の子みたいに短く刈られた髪の毛を見られるのが辛かった。いくら綺麗にセットしようとしても駄目だった。それに作務衣《さむえ》みたいな病院着を着ているところしか見てもらえないのも悲しかった。

先生は私の前でもよく冗談を言った。私はいつもおかしくてお腹を抱えて笑った。笑うと体のあちこちが痛んだがかまわなかった。そんな私を見て先生も嬉しそうだった。

ある日、看護師の立石さんが「大原先生は杉野さんのこと好きなんじゃないかしら」と言った。多分私は耳まで真っ赤になったはずだ。

その頃はまだ自分が死ぬほどの病とは思っていなかった。お医者さんの「肝臓が少し弱っています」という言葉を信じていたから、しばらくすると退院出来ると思っていた。

私は貯金がほとんどなかったから、入院費は美容院の藤崎店長が出してくれていた。いくらかかっているのか聞いても教えてくれなかった。おそらくかなりの額だろう。早く退院して頑張って働いてお金を返さなくては——。

日が経つにつれ、もしかしたら退院出来ないかもしれないと思い始めた。体の調子はよくならないどころか日増しに悪くなっていったからだ。もしかしたら癌なのかもしれない。それを確信したのは藤崎店長の顔を見た時だった。

お見舞いに来てくれた店長は「年内には退院出来るそうよ」と明るい顔で私に言った。店長の顔は強張《こわば》っていたし、目は充血していた。私は「本当ですか」と言いながら、心の中で別の言葉を言った。——店長、嘘が下手ですよ。

次の週、お見舞いに来てくれた藤崎店長に「自宅療養したい」と言った。もし私がこのまま死んだら入院費は返せません、店長にこれ以上は迷惑をかけられませんからと。

でも店長は退院させてくれなかった。

「入院費のことは心配いらないわ。きっちり記録してるから。美容師として復帰したらたっぷり働いて返してもらうつもりよ。借金で縛り付けてるから、よそには行けないわよ」

藤崎店長は作り笑顔で言った。私は涙を見せまいと思ってまばたきしながらうなずくことしか出来なかった。

おそらく自分は癌だということがわかってからは、目に映るすべてのもの、耳に響くすべてのことが悲しかった。そんな私の唯一の慰めであり喜びでもあったのが、一日に何度か病室を訪れてくれる大原先生の診察の時間だった。

夜、ベッドの中でよく考えた。恋が叶《かな》うか、命が助かるか、もし神様にどちらか一つを選べと言われたら、私はどちらを選ぶかな——と。

この選択は難しかった。命を選ぶのが当然と思えたが、もし先生に愛を告白されたら死んでもいいとさえ思えた。でもこの迷いも、ある時消えた。看護師さんの一人が「大原先生と依田先生はデキてるみたいね」と噂しているのを聞いたからだ。依田先生は同じ病院の内科のお医者さんだ。すらりと背が高く、とても美人だった。初めてロビーで見た時、モデルさんみたいと思った。依田先生のお父様は大きな会社の社長をしているという噂だった。病院にはいつも真っ赤なポルシェで通勤していた。

その夜、ベッドの中でシーツをかぶって泣いた。泣く権利なんかないのはわかっている。私は大原先生の恋人でも何でもなく、大勢いる患者の一人に過ぎない。住む世界も違う。そんなことは最初からわかっていたことだ。でも私は悲しくて泣いた。

それからほどなく、私は末期癌で治癒の可能性がほとんどないということを知らされた。神様は不公平だと思った。

――今日はクリスマス・イブなのか。さっき病室で誰かがそう言っているのが聞こえた。今頃、みんなはケーキを食べてお祝いしているのかしら？　ケーキなんてもう長い間食べていない。

ふと、死ぬ前に一口でいいからケーキを食べたいなと思った。食べるなら、苺《いちご》がたっぷりのショートケーキがいいな。

大分前から月日の感覚を失っている。最後にベッドから起きあがったのが何日前なのかも覚えていない。今が夜なのか昼なのかもわからない。

ずっと寝ぼけているような感じだ。いつ寝ていつ目覚めているのかさえわからない。もう全身に癌がまわっているからだろう。もしかしたら痛み止めと麻酔のせいかもしれない。全身が痛みで耐えられない時もあれば、何も感じない時もある。もうすぐ死ぬのだなと思った。

でも死にたくない！

私は幸せになりたかった。不器用だけど一所懸命に頑張って生きてきた。高望みなんか一つもしなかった。平凡な幸せが欲しかった。ただ人並みの幸せが欲しかっただけなのに。神様はそれさえくれなかった。今日がクリスマス・イブなら、サンタさんにその願いを伝えたい。サンタさん、お願いします――。

その時、目が開いた――。


看護師の立石さんと目が合った。彼女はびっくりしたような表情をした。

「――杉野さん？」と彼女は小さな声で私を呼んだ。

私は「はい」と答えようとしたが、呼吸器が喉《のど》の奥に入っていたのでくぐもった声しか出なかった。私の様子を見て立石さんの目が大きく開くのが見えた。

「杉野さん」今度は大きな声で言った。

私は返事の代わりに頭を縦に動かした。

「私の声が聞こえるの？」

もう一度頭を動かした。

立石さんは今度は何も言わず病室を飛び出すように出ていった。

すぐに大原先生がやって来た。

先生は部屋に入るなりモニターを見た。「信じられない……」と先生は言った。

「脈も正常だ」

立石さんが小さな声で「機械の故障でしょうか？」と言うのが聞こえた。大原先生は首を振った。

「杉野さん」と大原先生が言った。

私はさっきと同じように頭を動かして返事した。大原先生が立石さんの顔を見た。

「——奇蹟だ」

立石さんがこっくりとうなずくのが見えた。


私の体は日々回復に向かった。

体を冒していた癌細胞は毎日縮小していった。自分ではわからないが大原先生たちがそう言っていた。でも私自身も自分がどんどん元気になっていくのはわかった。

毎日大原先生はじめ沢山のお医者さんが私のところにやって来た。いろんな検査をされた。病室も替わった。それまでの部屋よりもずっといい部屋に移された。こんないい部屋に入ったらお金が払えませんと言うと、大原先生はお金のことは心配ないと言った。病院が持つからということだった。私は実験のモルモットなのかしらと思った。

年が明けると、ベッドから起きて動けるまでに回復した。暇なときは病院の廊下を何度も往復したり、階段を昇り降りしたりした。歩けるということがこんなにも素晴らしいことだということを初めて知った。

すっかり元通りになった——ただ一つ、右手を除いては。

実は右手の親指だけがうまく曲がらなくなっていたのだ。その原因はお医者さんたちにもわからないと言っていた。

一月の終わりのある日、大原先生が言った。

「完全に癌細胞が消えています」

「それって治ったということですか」

大原先生は言葉を慎重に選んだ。

「医学的には、治癒したと言えます」

それからにっこり微笑《ほほえ》んだ。

「医者としては信じられない気持ちです。杉野さんの体は悪性の腫瘍《しゆよう》でいっぱいでした。それが一ヵ月で完全に消滅するなんて——。こんな症例は聞いたことがないです。まさに奇蹟としか言いようがありません」

「先生、あの日がいつだったか覚えてます？　私の意識が回復した日」

「去年の暮だったね」

「クリスマス・イブです」と私は言った。「あの夜、私、サンタさんにお願いしたんです。私に平凡な幸せを下さいって——。それでサンタさんが私を助けてくれたんです」

大原先生は何も言わなかった。

「私の右手の親指が曲がらなくなっているでしょう」

大原先生はうなずいた。

「神経科の先生に言わせると、何か神経系統に問題が生じているようだ。癌の影響か、薬の後遺症かはわからないんだが……」

「どちらも違います」

大原先生は驚いて私の顔を見た。

「私、夢の中で、サンタさんに言ったんです。日本一の美容師になれなくてもいいから、もう少し生かして下さいって。もう一度、お洗濯をしたり、お掃除したり、お料理したいって――。サンタさんは私に命をくれる代わりに親指を曲がらなくしたんです。先生はこんな話、信じませんよね」

「いや」

先生は首を振った。それから私の肩に手を置いて言った。

「こんなことを言ったら医者失格だけど、杉野さんの話は本当だと思う。君はサンタクロースに生きる幸せをプレゼントされたんだ」

それからほどなくして私は退院した。病院の先生たちは私の癌は治癒したと保証してくれたが、しばらくは月に一度、通院してほしいと言われた。

右手の親指の機能はついに戻らなかった。藤崎店長はハサミが持てなくても雑用の仕事をしてくれたらいいと言ってくれたが、厚意に甘えるわけにはいかなかった。

私は美容院を辞めてケーキ屋さんの店員になった。そのケーキ屋さんは藤崎店長の古い友人のパティシエが経営しているお店だった。

生涯を捧げようと思っていた美容師の仕事だったが、未練はなかった。その仕事を失った代わりに命をもらったのだ。サンタクロースは私に幸せを約束してくれた。だからどんな仕事も一所懸命にやっていくのだ。

ケーキ屋さんは大きな店だった。売り場だけで二十畳近くあっただろうか。壁一面には綺麗な花柄の壁紙が貼られていた。L字形になったガラスのショーケースの中には三十種類以上の生菓子が並べられていて、壁に備え付けられていた木製の棚には焼き菓子が並べられていた。ケーキ売り場の横には喫茶コーナーがあった。

私は売り子兼ウェイトレスだった。同僚の女の子がアルバイトを含めて七人くらいいたが、常時店にいるのは三人だった。店の裏の大きな工房には店長の大森さんを含めてケーキ職人が四人もいた。職人さんは全員が男性だった。

売り子の仕事は楽しかった。ケーキを買いに来るお客様はみんな幸せそうな顔をしていた。きっとケーキを食べる楽しいひとときが待っているからだ。不幸な人はケーキなんか買わない。たっぷりのクリームから苺が覗《のぞ》いたミルフィーユ、マロンクリームが渦《うず》を巻いているモンブラン、フルーツがいっぱい載っかったタルト、どれもこれも宝石のようだった。

子供連れでやって来るお客様を見るのは特に好きだった。幼い子供がショーケースの中のケーキを必死で選んでいる様子は見ているだけで幸せな気分になった。

空いている時間にはケーキ作りも手伝わせてもらった。ケーキ作りなんてしたことがなかったから、すべてが新鮮で楽しみに満ちていた。私があまりにも真剣に手伝うものだから、店長の大森さんは「ケーキ職人になる気があるか」と聞いた。私は迷わず、はいと答えた。

その日から、私は大森さんの弟子になった。朝早くから工房に入り、大森さんの手伝いをしながらケーキ作りを学んだ。夜は大森さんに貸してもらったノートを読んで勉強した。そのノートは大森さんが若い頃にフランスで修業した時のノートだった。そんな貴重なノートを貸してもらえたことがすごく嬉しかった。私はそのノートを一字一句全部書き写した。大森さんの手書きのノートを機械でコピーする気にはなれなかったのだ。それに書き写すことも勉強の一つだと思った。

店でのケーキ作りの合間には売り子もした。ケーキ作りも楽しかったが、お客様相手にケーキを売る仕事も好きだった。私が手伝って作ったケーキを選んでもらった時は本当に嬉しかった。

そんなある日、ケーキを買いに来たお客様の顔を見て、飛び上がりそうになった。大原先生だった。

大原先生に会うのは一年ぶりだった。退院後、私は何度も病院に通っていたが、大原先生は別の病院へ移っていたからだ。もちろんどこの病院に替わられたのかは知らなかった。

「ケーキ屋さんになっていたの？」

「はい。もうすぐ一年になります」

「元気そうだね」

「はい。先生のお陰です」

「ぼくのお陰じゃないよ」

大原先生は首を振った。それから少し残念そうに言った。

「美容師には復帰出来なかったんだね」

「その代わり、私、今ケーキ職人の修業をしてます。美容師も素敵な仕事ですが、ケーキ屋さんも同じくらい素敵な仕事です。大好きです」

私の笑顔につられたように先生も微笑んだ。

「いい顔してるね。幸せそうだ」

「有り難うございます」

ケーキ作りの仕事を誉められたような気がして嬉しかった。

「サンタクロースに助けてもらった女の子がケーキを作るなんて、ぴったりだね」

「はい、今年のクリスマスには、いっぱいケーキを作ります」

「この中で、杉野さんの作ったケーキはある？」

私はショーケースの中の自分が手伝ったケーキを教えた。

先生はその中から四つを選んで買ってくれた。私はそれを箱に詰めながら、もしかしたら先生は依田先生と一緒に食べるのかな、と思った。私は箱の中にこっそりと二つのケーキを加えた。これは私から先生へのささやかな御礼とプレゼントです。どうかお二人で召し上がって下さい。

「杉野さんは――」先生は言った。「好きな人がいるの？」

「はい。素敵な恋人がいます」

私は嘘をついた。先生は少し驚いたような顔をしたが、すぐに目を細めた。でもその笑顔はどこか寂しそうにも見えた。一瞬、あれっと思った。

「じゃあ、さようなら」

「有り難うございました」

「また来るね」

大原先生の後ろ姿を見ながら、入院中、先生に恋していたことを思い出していた。もう死ぬかもしれないという気持ちで毎晩ベッドの中で泣いていたあの頃、先生の顔を見るのが唯一の楽しみだった。でも先生が依田先生とお付き合いしていると知った時、先生への思いを胸に秘めたまま死んでいこうと思った。奇蹟が起こって命が助かってもその気持ちは変わらなかった。

私は平凡な幸せを望んで、神様がそれを与えてくれた。幸せを高望みすれば、きっと約束違反になってしまう。

「杉野さん、今度の定休日、映画に行きませんか？」

ケーキ作りの下ごしらえが終わって椅子に腰掛けている時、ケーキ職人の伊藤さんに誘われた。私は驚いて伊藤さんの顔を見た。これまで伊藤さんとはほとんど話をしたことがない。伊藤さんは私に見つめられて顔を赤くした。

伊藤さんは三人いるケーキ職人の中で一番年長だった。といってもまだ三十歳にはなっていない。でも若ハゲですごく老《ふ》けて見えた。そのうえ背も低く見栄えはよくない。大人《おとな》しく無口な人だったが、仕事ぶりは真面目《まじめ》で誠実だった。ケーキ作りの腕前は店長の大森さんも一目置く腕だった。そして私も尊敬していた。

「どうして、私と？」

そう聞くと、伊藤さんはまた顔を赤くして俯《うつむ》いた。この人、私のことが好きなのかなと思った。嬉しいというよりも意外だった。

「何の映画ですか？」

伊藤さんは映画のタイトルを小さな声で言った。それから慌《あわ》てたように付け加えた。「たまたま友人に券を二枚もらったから……」

「嬉しいです」と私は言った。「是非連れて行って下さい」

それは本心だった。伊藤さんを男性として意識したことはなかったが、伊藤さんのような真面目で誠実な人が私に好意を寄せてくれたということは嬉しかった。

これまで街で男の人に声をかけられたことは何度かあったし、男性のお客様にデートを申し込まれたこともあった。でも一度もついていったことはない。でもこの時は素直な気持ちで「はい」と言えた。伊藤さんは泣き笑いみたいな顔をした。

映画を見終わった後、二人で喫茶店に行った。

伊藤さんは目を真っ赤に腫《は》らしていた。映画の悲しいシーンで泣いたのだ。私は泣かなかった。人一倍泣き虫の私だったが、作り物のお芝居で泣くことはあまりなかった。

「ごめんね、一人で泣いちゃって――」

「ううん」

伊藤さんがあがっているのがわかった。私も男の人とデートするのは初めてだったが、伊藤さんの百倍くらい落ち着いていた。多分、伊藤さんに恋していなかったからだ。もし大原先生と喫茶店に二人きりになったら紅茶のカップも持てなかったかもしれない。

伊藤さんは最近自分が読んだ本の話をした。一所懸命に話してくれたが、今ひとつ内容が伝わらず、話そのものも面白くなかった。でも不快ではなかった。私を何とか楽しませようとしてくれている姿は素敵だった。

でもその後、伊藤さんからの誘いはなかった。一度のデートで飽きられたかなと思っていたが、二ヵ月後、ミュージカルに誘われた。私は断らなかった。

タイトルは知っている有名なミュージカルだったが、それほど感動しなかった。伊藤さんもそれほど感動しなかったようだ。劇場を出た後、前と同じように喫茶店に誘われた。伊藤さんは二ヵ月前と同じようにあがっていた。

ふとした弾みで伊藤さんは私の過去のことを聞いた。私はお店では自分の過去の話はしたことがなかったが、この時は聞かれるままに話した。

伊藤さんは私の話を聞いてぽろぽろと涙をこぼし始めた。しまいには声を上げて泣きだした。喫茶店の中のお客さんたちがこちらを見ているのが恥ずかしかったが、伊藤さんが私のために泣いてくれたのは嬉しかった。

一週間後、突然、伊藤さんからプロポーズされた。秋の終わりだった。

仕事帰りにお茶に誘われ、近所の喫茶店で高価な指輪をプレゼントされた。

「こんな物はいただけません」

「気にいらなかったら捨てて下さい」

「そんなことは出来ません」

「ぼくは言葉が下手で気持ちをうまく伝えることが出来ません。だからこれはぼくの言葉の代わりです。不器用で申し訳ないですが、受け取ってもらいたいんです。でも受け取ったからと言って、プロポーズを受ける必要は全然ありません、断ってくれてもかまいません」

伊藤さんがこんな長い言葉を話すのを初めて聞いた。

「どうして私と結婚したいと思われたのですか？」

彼は顔を真っ赤にした。

「理由を教えていただけませんか」

「——好きだからです」

伊藤さんは絞り出すような声で言った。それから俯いた。肩が小さく震えていた。

私は目を瞑《つぶ》った。神様は私に素敵な人を与えてくれた——。

「伊藤さん」と私は言った。「私を大事にしてくれますか？」

彼は顔を上げて、大きな声で「はい」と言ってくれた。

半年後、私は伊藤さんと結婚した。

結婚式は友人やお世話になった人を呼んだだけのささやかなものにした。

藤崎店長も来てくれた。愛情のこもった祝辞に私は心から感謝した。

夫となった伊藤さんは結婚した折に藤崎店長から借りていた入院費用の残りを払おうとしてくれたが、藤崎店長は「結婚のお祝いの代わりにチャラにするわ」と言って受け取ろうとはしなかった。私たちはその代わりに毎年クリスマスに大きなケーキを焼いてプレゼントさせてもらいますと約束した。

一年後、私たちは独立した。店長の大森さんが積極的に独立を勧めてくれたのだ。

「ただし、うちの店の近くで営業するなよ」大森さんは怖い顔をして言った。

私と夫は、郊外に出来た小さなニュータウンの駅前にケーキ屋を開いた。看板は二人でペンキを塗って作った。店の名前は「サンタクロース」にした。私のアイデアだ。

「十二月ならいいけど、春や夏だとおかしいよ」

夫はそう言ったが反対はしなかった。

店を持って三年目に子供が生まれた。男の子だった。明彦と名付けた。両親に育てられたことがない私が子供に愛情を注げるのか心配だったが、それは杞憂《きゆう》に終わった。私は赤ちゃんに夢中になった。自分の中にこんなに愛情があるとは思わなかったほど、子供に愛情を注ぎ込んだ。子供にどれだけ愛情を注いでも夫に対する愛情も減らなかった。愛情って、枯れない泉みたいなものなんだと思った。

大きな病気も怪我もせず大きくなった明彦が初めて見舞われた事故が骨折だった。中学二年生の時だった。

学校から、部活のサッカーの練習中に転倒して足を骨折したと聞いて、病院に飛んでいった。

病院に着くと、治療は終わっていて、明彦はロビーでサッカー部の顧問の先生とソファに座っていた。息子の足にはギプスがつけられていた。骨が折れた時はどれだけ痛かったのだろうと思うと、涙が出そうになった。私の足を代わりに折ってもらいたかった。

「ひびが入っただけだって」

息子は笑いながら言った。息子の笑顔に心からほっとした。

息子の手を取って立たせようとした時、ロビーを歩いてくる背の高いお医者さんの姿を見て思わず手を止めた。大原先生だった。

先生も私に気付いた。

「お久しぶりです」

先生は笑顔で言った。私は頭を下げた。

「この病院にいらしたのですか？」

「転勤したばかりです」

先生の髪には白い物が交じっていた。でも素敵に年を取っているようだった。中年太りはしてなくて、相変わらずスマートだった。

「お子さんですか？」

「はい。今日、足を骨折しました」

先生は息子のギプスに目を落とした。

「でもヒビが入っただけですから、大丈夫です」

「それはよかった」

先生は言った。そして息子のユニホームに目を留め、「サッカーをしているんですね。たくましくていいですね」と言った。

「頼りない子供です」

息子がむすっとした顔をした。

「久しぶりですね」

「はい。前にケーキを買いに来て下さった時以来です」

「覚えてくれてましたか?」

「はい」

「あの時、ケーキを二つサービスしてくれたでしょう」

私は一瞬返事が出来なかった。まさか先生がそんなことを覚えてくれているとは思ってもいなかったからだ。

私は先生の左手を見た。そこには指輪がなかった。

息子と顧問教師は二人のやりとりを不思議そうな顔で眺めていた。私は二人に、昔入院していた時にお世話になった先生だと説明した。

「それでは」と大原先生は言った。

「お元気で」

先生は手を振って見送ってくれた。

病院からの帰り道、息子は松葉杖をつきながら、時折嬉しそうに私の顔を見た。

「どうしたの?　さっきからにやにやして」

「あの先生はママの昔のカレシなの?」

「まあ!　何を言ってるの」

「大丈夫。パパには内緒にしてあげるよ」

「残念ながら違うわよ。昔ママが入院していた時のお医者さんだったの」

「なるほど、それが出会いだったんだ」

息子は私の顔を覗《のぞ》き込むようにして言った。

「あの先生のこと、好きだったの？」

「うーん……。好きと言えば好きだったかな。あの頃ママはすごく重い病気にかかっていて、死ぬかもしれないと思っていたの。だから、あの先生の顔を見るのが唯一の楽しみだった」

「なるほど、何となくその気持ちわかるよ」

「生意気言うんじゃない」

「でもね、あの先生はママのこと好きだね」

「そんなことないわ。どうしてそう言えるの？」

「それは——ぼくが男だから」

私は、えっと思った。

「男には何となくわかるんだ。好きな女の子と話す男って、大人も子供も同じなんだよ」

私は息子の顔を見た。息子は少し恥ずかしそうに横を向いた。それを見た時、息子も好きな女の子がいるんだなと思った。

でも、先生が私のことを好きだなんて——。息子は男同士だからわかると言った。

本当だろうか。どんなに年が離れていても、男同士にはわかることってあるのだろうか。

少しだけ幸せな気持ちになった。息子の言うことを信じる気になった。先生は私のことを好きなんだ。私が患者の時から、私のことが好きだったんだ。

だからと言って私にはどうする気もない。先生と恋愛する気もないし、もう一度会いたいという気持ちもなかった。心の中にとどめるだけで十分満足だった。

明彦が美容師になりたいと言いだしたのは高校三年生の夏だった。

「大学へ進むより、手に職を持ちたいんだ」

不思議な気持ちがした。私がかつて美容師だったことは明彦には言っていない。

「高校を卒業したら、美容師の学校に行きたいんだ。お父さん、いい？」

「ぼくはお前には大学に行ってもらいたい。それがぼくの夢だった」

明彦は父親にそう言われると苦しそうな顔をした。

「俺、勉強には向かないんだよ」

「一流大学じゃなくてもかまわないから、大学へ行かないか」

息子は黙っていた。

「あなたの学費ぐらいは頑張って出せるから、お金のことは心配はしないで」

「違うんだよ、お母さん。俺、本当に美容師になりたいんだ」

息子の目を見て本心からそう言っているのがわかった。私は夫に言った。

「あなた、明彦の思うようにさせてあげて」

夫は少し寂しそうな表情を浮かべたが何も言わずにうなずいた。

その夜、明かりを消した寝床で、夫は「人生というのは思い通りにいかないもんだな」と呟いた。

「明彦の人生は明彦のものよ」

「それはわかってるが……」

「私は明彦が美容師になりたいと言ったことに驚いてるわ。だって、美容師は私の昔の仕事だったもの」

「うん」

「美容師を天職と思って頑張ってきたのに、指が曲がらなくなって辞めたの」

「君がずっと美容師をしていたら、出会うこともなかった」

私は腕を伸ばして夫の手を握った。夫は私を引き寄せた。

「今だから言うけど――」と夫は言った。「君は他に好きな人がいたんじゃないのか」

「どうしてそんなこと言うの？」

「ずっと不思議だったんだ――君みたいな素敵な人がどうしてぼくの奥さんになって

くれたんだろうって。ぼくがプロポーズした時も、君はぼくに恋してなかったと思う。多分、好きな人がいたんじゃないかと思う」

「あのね」と私は言った。「こんなこと言うの、初めてなんだけど、聞いてくれる？」

夫はうなずいた。

「私、昔入院してたって言ったわね。もう助からないって言われていたの。その時、私、もし病気が治ったら、私を愛してくれる人の奥さんになりたいと思ったの。そしてその人を愛して生きていこうって——」

夫は私を抱きしめてくれた。

「私、パパを愛してるよ」

私の頰《ほお》に触れる夫の頰が濡れていた。私も涙が出た。


涼しい風が気持ちよかった。

公園のイチョウはすっかり黄色くなっていた。

私は一人、ベンチに腰を下ろした。少しばかり買い物が多すぎたようだ。買い物袋を下げていた腕が疲れている。もう年だな、と思った。曲がらない右手の親指を左手で撫《な》でた。

明彦の美容院はまずまずうまくいっているようだ。あの頼りない息子が今は二人の子の父で、しかも人まで雇って仕事をしているということが信じられなかった。二人の孫もいつのまにか中学生だ。ついこの前まで幼稚園児だと思っていたのに……。月日の経つのは信じられないほど早い。

私も来年には古希を迎える。

先日の夜、寝る前に夫といつまでケーキ屋を続けるのかという話をした。

「うちのケーキを気に入って買ってくれるお客さんがいる限り、細々とでもいいから続けていきたいな」

と夫は言った。

「少しだけ焼いて、夕方には売り切れてしまってもいいじゃないか」

私は賛成した。私からケーキ作りを取ってしまえば、人生は味気ないものになってしまう。出来れば、一生ケーキを焼いていたい。

その時、目の前を一人の老紳士が公園に入ってくるのが見えた。白髪で、手には杖を持ってはいるが、背筋はぴんと伸びている。矍鑠《かくしゃく》としているなと思った。私ももっとしゃきっとしなければ。

老紳士と目が合った。あっ、と思った。

「大原先生じゃありませんか」

老紳士は怪訝《けげん》な顔で私を見た。

「伊藤です。昔、先生の患者でした。旧姓は杉野と言います」

先生の緊張した顔が緩んだ。

「杉野さんですか」

「お久しぶりです」

先生は皺《しわ》だらけの顔でにっこりと微笑んだ。

「先生はこの町にお住まいなんですか？」

「二年前からこの町に住んでいます」

大原先生と同じ町に住んでいるなんて驚きだった。

「今もお医者さんをしておられるのですか？」

「とっくに引退しましたよ。今は静かに老後を送っています」

「私は今もケーキを焼いてます」

「そうですか、また杉野さんの作ったケーキを食べさせて下さい」

「お座りになりませんか」

大原先生は私の横に座った。

私は不思議な感動を覚えていた。五十年前に好きだった人と今こうして秋の公園のベンチに座っているということがすごく不思議な出来事のような気がした。

「私、先生を好きでした」

自分でも思いがけない告白だった。でも恥じらいも後悔もなかった。五十年近くも封印してきた想いだ。今、先生に打ち明けても夫は許してくれるだろう。

「遠い遠い昔のことです。私が入院していた頃です」

大原先生は少し目を細めた。そして言った。

「私も、あなたが好きでした」

風が足下の枯れ葉を舞い上げた。

「本当ですか」

「本当です。あなたは可愛い患者さんでした。医者が患者に恋なんかしたらいけないんだけど、私はあなたに恋しました」

先生は私の目を見て言った。

「でもそれを告白する勇気がありませんでした」

それから先生は空を見上げた。私も見た。空は秋の深い青だった。

「先生は依田先生とお付き合いされてたんじゃなかったんですか？」

「ヨダ先生？　誰ですか？」

「内科の美人のお医者さんです。いつも真っ赤なポルシェに乗っておられました」

先生は、ああという風にうなずいた。そしてしばらく遠くを見つめた。

「思い出しました。依田先生ですね。素敵な女性でしたね。でも彼女とお付き合いしたことはありません」

「噂になってましたよ」

「知りませんでした。依田先生にしてみれば迷惑な噂でしたね」

「私、信じてしまいました」

先生はまた遠い目をした。それから私の方を向いて「もしその噂を信じていなかったら？」と聞いた。

「思い切って、先生に告白していたかもしれません」

先生は黙って微笑んだ。優しい顔だった。

「先生の奥さんはどんな方ですか？」

「私はずっと独身です」

「本当ですか？」

「うん、縁がなかった——いや、もてなかったんですね」

「先生がもてないなんてことはないです。私と同じように告白する前に諦《あきら》めた人がたくさんいたと思います」

「私はずっとあなたに未練を持っていました。あなたがケーキ屋さんで働いていることを知って、思いきってケーキを買いにいったことがあります」

「覚えています。あの時先生は依田先生と一緒に召し上がるケーキを買いに来られたのだと思ってました」

そして私は告白した。

「あの時、ケーキの箱の中に入れたナプキンに携帯電話の番号を書いたのです」

先生は大きく目を見開いて私を見た。

「気が付かなかった――」先生は言った。「もし、気が付いてたら、必ず電話していた」

神様は先生に私のメモを気付かせなかったのだ。私はそれでよかったと思った。

先生の右手が私の左手の上にそっと置かれた。私はその手を握った。二人はそのまましばらく黙ったままベンチに並んで座っていた。

先生の手の温もりが伝わってくるのを感じた。その時、二人の手の上にイチョウの葉が一枚落ちた。先生と私は顔を見合わせて笑った。

「お子さんはもう大きくなられたのでしょうね」

「はい、もう結婚して子供が二人もいます。私はおばあちゃんです」

先生は私の顔を見つめながら、うんうんという風に何度もうなずいた。

それからベンチから立ち上がって、「さようなら」と言った。

「さようなら」

去っていく先生の後ろ姿を見ながら、もう先生と会うことはないだろうなと思った。

　ふと薄目を開けた目に夫の顔が見えた。

「起きたのか？」

　私は小さくうなずいた。

「痛みはない？」

　私はまたうなずいた。

「もうすぐお別れね」と私は言った。

「何を言うんだ。また元気になって、孫のために一緒にケーキを焼こう」

　夫はそう言いながら無理に笑顔をこしらえた。

　私の体がもうダメなのは自分でわかっていた。半年前に体の不調を訴えて病院に行った時に癌と診断されたのだ。癌は全身のかなりの部分を覆っていた。でも癌宣告を受けても少しも怖くなかった。

　癌は五十年以上待っていてくれたのだ。五十年の間、ずっとどこかに隠れていて、私に素敵な人生を送らせてくれたのだ。

　入院して半年、いよいよ自分に死期が近付いているのはわかっていた。でも少しも怖くはない。素晴らしい人生だった。夫も子供も心から愛した。

精一杯生きた人生に悔いはない。残念なことは一つだけ——夫よりも先に死ぬことだ。

「パパ、有り難う。パパと結婚出来てよかった」

夫は泣いた。

「お願い、泣かないで。パパが泣くと悲しくなるから」

夫は涙を拭いて懸命に笑おうとした。

「パパは昔から泣き虫ね。私もそうだったけど、パパの方が泣き虫よ」

「もう泣かないよ」

「パパ、手を握っていて」

夫は私の右手を握った。夫の手を握りかえそうとして、あっと思った。親指が曲がったのだ。ああ、お別れの時が来たのだわと思った。

「パパ、少し眠るね」

夫は泣きながら、うんと言った。

私は目を閉じた。

＊　＊　＊

「先生、九時からうちの科だけで簡単なクリスマス会をやるんですが、お時間空いてます？」

ナースステーションに戻ってきた看護師の立石律子が大原に声をかけた。

大原は書きかけのカルテから目を離して壁の時計を見た。

「大丈夫だと思う」

「イブの夜まで仕事している者同士で慰め合いましょう。ケーキも買ってあります」

立石の後輩の寺田美香が言った。

「ワインもあればいいんだが」大原が言った。

「勤務中ですよ」

「イブを返上して仕事をしてるんだ。それくらいはいいだろう」

二人の看護師は笑った。

「私は子供も成人してるからクリスマスなんか関係ないけど、独身の大原先生や美香ちゃんはイブの夜なのに仕事なんて可哀相ね」

「私はいいんです。先月、彼と別れたとこですから」寺田はあっけらかんと言った。

「その代わり正月休みはきっちりもらいました」

大原は心の中で苦笑した。毎年クリスマス・イブは若い看護師が休みを取りたがる。早い者は二ヵ月も前からリクエストする。多分今夜は世の中のいろんな職場で若い女の子たちが一斉にいなくなっているんだろうなと思った。

しかしクリスマスだからといって病気は進行をやめないし、「死」も休んでくれない。

ふいに立石が言った。

「杉野さん、今夜持ちそうでしょうか？」

「五〇二号室の杉野さん？」

立石はうなずいた。

「夕方には血圧も下がっていたし、意識レベルもかなり低下していたからね——」

それを聞いて立石は悲しそうな顔をした。

「あの子はまだ二十歳なのに——」

「その人、助からないんですか？」寺田は言った。

「全身に癌が転移しているし、若い分、進行も速かった」

二人の看護師は黙った。

大原はナースステーションの壁に貼られてあるサンタクロースのイラストに目を留めた。若い女性看護師の誰かが色鉛筆を使って描いたのだろう。サンタは大きな袋を背負ってにこにこ笑っていた。ふきだしには「メリークリスマス」と書かれていた。

大原はそれを見ながら心の中で呟いた。——今夜はサンタも大忙しだな。

その時、部屋にピコピコという電子音が鳴った。

三人はナースステーションに置かれている心電図のモニターに目をやった。警告音を発していたのは五〇二号室の杉野のモニターだった。


大原は二人の看護師と共に病室に入った。

立石律子はすぐに心電図のモニターを確かめた。

「先生――」立石は言った。「フラットになってます――心停止です」

大原はうなずいた。それから杉野真理子の瞼《まぶた》を指で開いた。瞳孔《どうこう》が開いているのを確認してから、瞼を閉じ、それから腕時計で時間を確認した。

寺田美香が呟くように言った。「クリスマスなのに――」

その時、立石が悲鳴のような声を上げた。

「どうした？」

立石は黙ったまま震える指で杉野真理子を指さした。大原も言葉を失った。

「先生――」

寺田美香の顔は泣きそうだった。

「これは――杉野さんだよね」

大原の言葉に立石は怯《おび》えたような顔でうなずいた。

「髪の毛も真っ白です。それに皺だらけで——こんなことってあるんですか？」

大原は首を振った。三人は目の前に横たわる女の顔をじっと見つめた。

「まるで何十年も一気に年を取ったようだ」

大原の言葉に二人の看護師がうなずいた。

「先生」と立石が言った。「彼女の顔——微笑んでいるように見えます」

「本当だ」

大原は今夜がクリスマス・イブなのを思い出した。

「彼女は安らかに亡くなったんだと思う。きっと幸せな夢を見ながら天国に旅立ったんだよ」

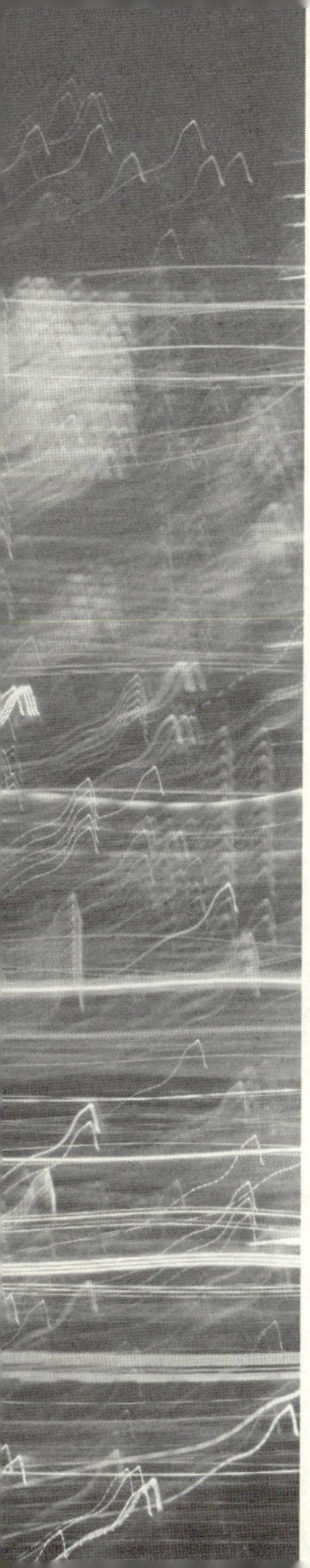

第四話　タクシー

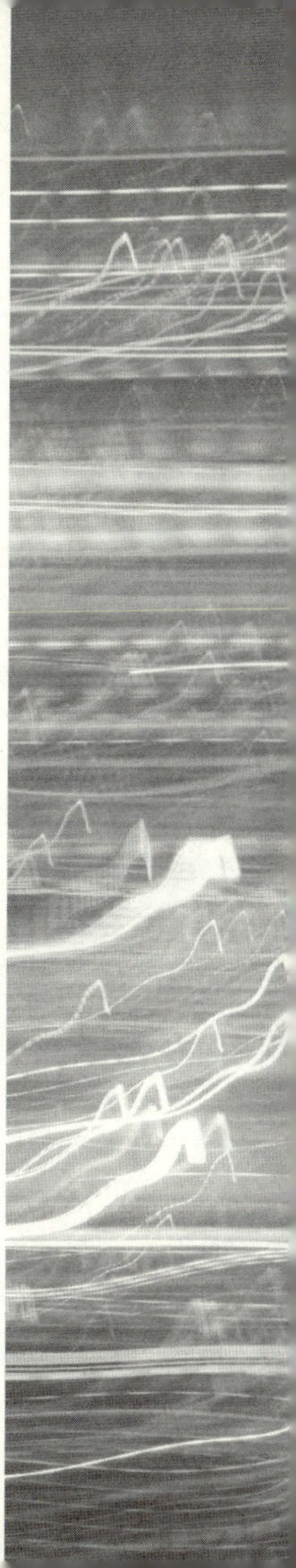

ねえ、運転手さん、今夜はクリスマス・イブって知ってた？

何組くらいカップルを乗せた？

でもね、世の中はカップルばかりじゃないんだよ。イブなのに相手がいない女、いくらでもいるんだよ。でも考えてみたら、あぶれた女と同じくらいあぶれた男もいるってことだよね。運転手さんだってそうでしょう。

ごめんね、私、今夜はちょっと酔ってるから、失礼なこと言ったら怒ってね。

さっきまで女友達と一緒にお酒を飲んでたんだ。みんな独身だけど揃いも揃っていい女よ。なのに、世の中には見る目のない男ばかりなのよね。

私っていくつに見える？　あら、見ようともしないのね。それとも暗くて見えないか？　あはは、だから言ってんのよ。明るいところなら聞かないわよ。こう見えても来年で三十歳よ。お母さんが私の年にはもう三人の子供がいたわ。

もてなかったわけじゃないのよ。恋は何度もしたわ。でもね、私が夢中になるような男はいなかった。

嘘よ、全部嘘。本当言うと、この年まで本気で恋したことは一度もないの。

いや、実は一度だけあるか——。ああ、つまらないこと思い出しちゃった。クリスマスのせいかな。いや違うわね、お酒を飲み過ぎたせいね。

ああ、自分でもわけわかんないくらい酔ってる。もし、寝ちゃったら起こしてね。変なことしちゃいやよ。あはは、そんな魅力ないか。

何がクリスマス・イブよ。サンタクロースのプレゼントだって——笑わせるわね。さっき道路で転んでおでこと膝をすりむいちゃったのよ。服は汚れるし、ストッキングは破れるし、ハイヒールは折っちゃうし、おまけにコンタクトレンズまで落として。本当に最低の夜。クリスマスなんてろくなもんじゃないわね。

ああ、まだ足が痛いわ。

——寝てたのかな、私？

さっきの話、覚えてる？　本当に好きになったただ一人の男の人。

その人、テレビ局に勤めてたんだよ。すごいでしょう。

そんな相手とどこで出会ったと思う？　沖縄だよ。

阿嘉島《あかしま》って知ってる？　「マリリンに逢いたい」って昔の映画に出てきた犬がいる島だよ。そこでナンパされたんだ。四年も前の話よ。いや、五年前かな。まあ、それくらい昔の話ってこと。

夏休みを取って和美と一緒に沖縄へダイビングをしにいったんだ。和美というのはその頃、同じ工場で働いていた同期の子よ。今は銀座でホステスをやってる。そんなこと関係ないか。

で、その時、和美が言いだしたの。私たち、旅先ではスチュワーデスってことにしようって。旅先で男に声かけられたら、スッチーですって言おうって。私は嫌だって言ったんだけど、押し切られちゃった。あんたが鞄の縫製職人だって正直に言ったら、私までスッチーになれないじゃないって――。で、結局、私もスッチーということになっちゃった。どうせ男の人に声なんかかけられないと思っていたから、そんなウソ言う機会もないと思ってね。

ところがそうじゃなかった。阿嘉島に着いた途端、いろんな男に声かけられまくり。それは和美のせい。和美は派手な顔でなかなかの美人だったの。でも変な男ばっかりで誰も相手にしなかった。というか、男の対応は全部、和美に任せてたから、彼女が適当にあしらった。だからしばらくはスッチーになりすます機会もなかったってわけ。

でも三日目に船の上で声かけてきた人は和美の好みだったらしくて、ダイビングが終わって島に戻ったら、お茶を飲もうということになっちゃった――。

私はタクシーの中で一人で話していた。運転手は相槌《あいづち》さえ打たない。酔っぱらいの女の話などまったく聞いていないのだろう。

ふだんはお喋《しゃべ》りな方じゃないのに、今夜に限ってどうしたのだろう。長い間、心の中に封印してきた思い出を、こんな深夜のタクシーの中で話しているということが不思議だった。多分、お酒のせいだ。もしかしたら、今日、和美と久しぶりに電話したせいかもしれない。和美と話しながら、沖縄のことを思い出したのだ。

しかしその思い出は私にとっては苦く悲しいものだった。

＊　＊　＊

――お茶を飲むと言っても、阿嘉島には東京みたいに洒落《しやれ》た喫茶店があるわけじゃない。海の家みたいなところで、かき氷を食べながら話したの。男たちも私たちと同じで東京から来ていた。

一人は茶髪で長髪、もう一人はさっぱりとした坊主頭だった。和美に声をかけてきたのは茶髪の方だった。茶髪はよく喋る快活な男だった。坊主頭の方は無口なタイプだった。二人とも背が高く、Tシャツを通しても鍛えられた体なのがわかった。おそらく学生時代にスポーツをしていたのだろう。もてそうな感じだった。

互いに自己紹介した。和美は「姫野和美です」と名乗った。和美の本当の苗字は大塚だ。下の名前を本名で言ったのは、私がいつも「和美」と呼んでいたからだろう。うっかり違う名前で呼んだりしたら大変だ。私は咄嗟《とっさ》に別の名前を思い浮かべることが出来ずに「香川依子です」と本名を名乗った。茶髪は遠藤、坊主頭は島尾と名乗った。二人の年齢は二十六歳、私たちよりも二つ年上だった。

遠藤は私たちの仕事を聞いてきた。和美がスチュワーデスだと言うと遠藤は「うぉー」と言った。私も和美も身長が百七十センチ近かったから信用されたのかもしれない。

和美はホラを吹きまくった。行ってもいないパリやミラノの素晴らしさを話した。その一方で仕事の辛さも語った。セクハラをするパイロットの話や嫌な乗客の話もした。私は相槌を打ちながら心の中で、和美はそんな話をどこで仕入れてきたのだろうかと感心して聞いていた。

「スチュワーデスと言っても華やかに見えるだけで、中身はホステスと一緒よ」うんざりしたような顔で言う和美は、私の目にも本物のスチュワーデスに見えた。

二人は東京のテレビ局のディレクターだった。それを聞いて私は少しびくついた。でも和美は堂々としていた。

二人は沖縄には番組のロケハンで来たと言った。「吉本の芸人のスキューバダイビング初体験を撮るんだ」と茶髪の遠藤が言った。なるほど、それで二人もダイビングをしていたわけか。

和美が、今度互いの友人同士で合コンをしようと提案すると、二人は喜んだ。

「局のイケメンを揃えるよ」と遠藤は言った。

二人ともよく笑う青年で、冗談がうまくて話をしていて楽しかった。でもダイビングを二本した後はすごく疲れる。加えて昼下がりの強烈な暑さが眠気を誘った。男たちもそう感じたようで、四人は一旦それぞれのペンションに戻って昼寝をしようということになった。

私たちが泊まっていたペンションは浜辺の近くにあったが、男たちの民宿は海から五百メートルくらい離れた林の中にあると言っていた。

別れ際に遠藤は夜に遊びに行ってもいいかと聞いた。私が何か言う前に和美がＯＫしてしまった。

彼らと別れた後、和美に文句を言うと、

「大丈夫、ばれないよ」

とさらりと言った。

「そんな事じゃなくて——」

「いいじゃない。どうせ夜は退屈で、テレビ見るくらいしかないじゃないの。あの人たちと話す方がずっと楽しいよ」

言われてみればその通りだ。

「別に嫌らしいことをする気はないし」

和美はそう言って笑った。

その夜、かなり遅くに彼らはやって来た。もしかしたら来ないのではないかと思っていた。

私たちのペンションには吹き抜けになっているロビー兼食堂があった。大きな照明は落とされていて幾分暗くなっていたが、話をするのに支障はない。

私たちは食堂のテーブルに向き合って座った。男たちはウィスキーを持参してきた。私たちは部屋からスナック菓子を沢山持ってきた。

一時間くらい雑談した後、和美と遠藤の提案で、二対二でデートしようということになった。島尾はどちらでもいいという感じだったし、私は気が進まなかったが、強引に押し切られてしまった。結局、和美と遠藤がペンションを出て行き、私と島尾が後に残された。

「弱ったね」

島尾は苦笑しながら言った。

「和美は強引だから――」

「いや、遠藤の方が強引だったよ」

二人で笑った。

「テレビ局のディレクターって、みんなあんなタイプなの？」

「うーん、どうかな」

「でも、島尾さんはちょっと違うタイプみたいです」

「ぼくは――実はディレクターじゃないんです。去年まで制作部にいたんですけど、今年から配送に回されたんです」

島尾ははにかんだ顔をして頭をかいた。

「だから今やってることは運転手みたいなもんです」

「でも、さっきはロケハンて言ってましたよ」

「遠藤は実際、ロケハンなんだけど、ぼくは休暇を取って旅行に来たんです。彼とは同期で仲がいいんですよ」

「そうなんですか」

「姫野さんて、いかにも遣り手《やりて》という感じがするね」

「和美は派手に見えるけど、仕事は出来ます」

「うん、なんか接客業に向いてる感じがします」

私は本当の和美を教えてやりたかった。鞄の縫製に関しては工場一の腕前で、男性のベテラン職人さんよりも上手なことを。仕事に関しては絶対に手を抜かない。彼女の作った鞄なら何年でも持つ。和美の見た目に惹《ひ》かれてやってくる男は、彼女のそんな一面を知ることはない。

「香川さんも国際線のスチュワーデスなんですか？」

思わず心の中で、和美！　と叫んだ。どうしたらいいのよ。

私は「はい、一応」と答えるのが精一杯だった。

「スチュワーデスってもっと気取った人が多いのかと思ってました」

返答に困った。

「いろんなところへ行けていいですね」

「そうですね。でも、遊びで行くんじゃないですから、心から楽しめませんよ」

私は和美が言っていた言葉を口にした。

そして島尾が次に何か言う前に彼に質問した。

「テレビ局に勤めていたらタレントさんなんかともお友達になれるんでしょう？」

「いや、タレントの友達はいないです」

「テレビ局の人はタレントさんの友達が大勢いると思ってました」

「ぼくは田舎もんだから——タレントさんたちとお洒落な会話が出来ないんですよ」

島尾はまたはにかんだような表情をした。

「東京出身じゃないんですか？」

「広島の生まれです。ぼくの親父《オヤジ》は漁師なんです。親父は本当はぼくに漁師を継いでほしかったんだけど、ぼくのわがままを聞いてくれた」

漁師と聞いて懐かしい感じがした。私の幼い頃に亡くなった父も漁師をしていたからだ。父の顔は写真でしか知らないが、アルバムの中の父もいつもはにかんだような笑顔で写っていた。

「小さい時は船に乗ってたんですか？」

「うん、子供の頃から親父の手伝いをしてました」

「それで泳ぎが得意だったんですね」

昼間、彼はダイビングの合間に素潜《すもぐ》りをしていた。海は信じられないくらい透き通っていて、船の上からでも、色鮮やかな珊瑚《さんご》の上を魚のように泳ぐ彼の姿がよく見えた。とても恰好《かっこう》がよかった。

「今でもたくましい体をしてますしね」

「これですか」

彼はそう言って右腕を上げて見せた。筋肉がついたたくましい腕だった。

「やっぱりテレビ局の局員の腕じゃないよなあ」

「素敵ですよ」

彼は照れた。

「沖縄は初めて来たけど、海が綺麗なのでびっくりしました。瀬戸内海も綺麗だけど、透明度が全然違いますよね」

「私もそう思います」

「沖縄にいる間に、誰もいない朝の海でいっぱい泳ごうと思ってます」

島尾の泳ぐ姿をもう一度見たいなと思った。

十二時をかなり過ぎて、和美と遠藤が戻ってきた。和美の顔は幾分か上気していた。私は急に恥ずかしさを覚えた。こんな時間まで食堂にいるんじゃなかったと思った。

和美と遠藤は暗い食堂で話している私たちを見てびっくりしたようだった。

「もう寝てると思ってたよ」と遠藤は言った。

「もう休もうと思っていたところだよ」と島尾が答えた。

四人はそれぞれ元の友人同士に分かれて解散した。

私は部屋に帰っても和美に何をしていたのか聞かなかった。

翌朝、六時前に目覚めた。

まだ寝ている和美を起こさないように、素早く化粧をすると、部屋を出て浜辺に行った。もしかして島尾が泳いでいるかもしれないと思ったからだ。でも浜辺には誰もいなかった。少しがっかりした。多分、昨日は遅かったから、まだゆっくり寝ているのだろう。

まだ日は昇りきっておらず、肌を焼くような暑さもなく、海から吹く風が心地よかった。

サンダルを脱いで海の中に足を入れた。冷たさを予想していたのに、水は柔らかくて温かかった。足の裏が細かい砂を感じてくすぐったかった。

その時、背後に人の気配を感じて振り返った。島尾が立っていた。

「おはよう」

島尾はにっこり笑って言った。多分少し前から私に気付いていたのだろう。彼は上半身にシャツを羽織っていたが、下はトランクスの水着姿だった。

「おはようございます」と私は言った。

「お友達は？」

「まだ寝てます」

「ぼくの連れもだ」

二人は砂の上に並んで腰を下ろした。

「昨夜は遅かったけど、頑張って早起きしてひと泳ぎしたよ」

早口に言う島尾の顔を見ながら、もしかしたら彼も私に会えるのを期待して早起きしてくれたのではないかしらと思った。そう思った途端、心臓が高鳴った。

「昨夜《ゆうべ》、あの二人は海を見に行ってたってさ」

「夜の海？」

島尾はうなずいた。

私も島尾と夜の海に行きたかったと思った。昨夜はたしか月が出ていた。きっと月の光が海を美しく照らしていただろう。

そんな月明かりの砂浜を島尾と並んで歩きたかった。歩き疲れたら、砂の上に腰を下ろすのだ。そしたら彼は私の肩に手を回すかもしれない。そんな想像をして思わず顔が赤くなった。

「今日の予定は？」

私は慌《あわ》てて聞いた。

「午後から座間味島《ざまみじま》に行く予定。香川さんたちは？」

「私たちは今日東京に帰ります」

島尾は、そうかと小さく呟《つぶや》いた。

二人はしばらく黙った。

「そろそろ部屋に帰らないと――」私は言った。

「香川さん――」

私は「はい」と言いながら緊張した。

「東京でもまた会えますか？」

私はその時どんな顔をしていたのだろう。

「出来たら連絡先を教えてくれませんか？」

一瞬迷った。しかし断ろうと思う前に言葉が出ていた。

「携帯の番号でいいですか？」

島尾は嬉しそうに笑うと、シャツの胸ポケットのボールペンを取り出した。

「メモ用紙がないので、手に書きます」

嘘の番号を言おうとしたが、何度かつっかえた挙げ句、本当の番号を言ってしまった。すごく後悔した。彼との楽しい思い出は旅のひとときだけのはずなのに――。それに私はスチュワーデスではないのだから、東京で会うことなんか出来ない。

でも島尾と別れて部屋に戻ると、大袈裟《おおげさ》に考えることはないと思えた。彼はただ礼儀として聞いただけだ。手の甲に書いた番号は改めてメモに控えないかもしれないし、控えたとしても旅の途中に失くしてしまうかもしれない。多分私には電話をかけては来ないだろう。

でも、もし電話がかかってきたら――。

その時は、忙しいから会えないと言えばいい。そう考えると気が楽になった。和美を見ると、眉《まゆ》をひそめたような寝顔だった。あまりいい夢を見ていないのかなと思った。


ペンションで朝食を食べている時、和美は昨夜のことを話した。

「海へ行ったら、いきなりキスしようとしてきたからびっくりしたわ」

「いきなりなの？」

「そうよ。そりゃあ、キスくらいはしてくるだろうと思っていたけど、いきなりはないよねえ」

「どうしたの？」

「ムード無さ過ぎって言ったら、何て答えたと思う？　どうせやることは一緒だろうって――」

「ひどい」

「テレビ局の人って、みんなあんなのかしらね」

私は島尾を思い出した。彼はずっと紳士だった。

「でもね、最初は腹が立ったんだけど、話しているうちにそれなりのムードになってね――。結局、キスしちゃった」

「キスだけ？」

和美は含み笑いした。

「さすがに外では最後までは無理だからね。こんな話は処女には刺激が強すぎるね」

「気にしないで」

和美は、お茶飲もうか、と言って、ポットのお茶を注《そそ》いだ。この話題はこれで打ち切りということだ。

「遠藤さんとはまた会うの？」

「まさか」

「どうして？」

「彼、左手の薬指に指輪の痕《あと》があった。そこだけ焼けてなかったの。旅先で楽しい時間を過ごすのはいいけど、東京に帰ってから相手する気はしないわ。一応、こちらから連絡するからって携帯の番号を聞いたけど、連絡する気もないし」

「なんで、聞いたの？」

「そうしないと、こちらがしつこく聞かれるじゃない」

ああ、そうか、私もこちらから電話番号を聞けばよかったんだと思った。

「依子はどうしてたの？」

「私はただ話してただけ」

和美は私の目を覗き込むように見た。

「本当だよ」

「わかってるよ。何かしてたなら、夜の食堂なんかにいるはずないもんね」

私は少し恥ずかしくなった。和美はおかしそうに笑った。それから言った。

「遠藤さんが言ってたけど、島尾さんて純情な人なんだって――」

それを聞いた時、心の中に小さな波のようなものがわき起こった。


東京に戻ると、また工場での単調な日々が始まった。

古い学校の校舎みたいな木造の部屋で、私は毎日ミシンを動かした。沖縄で過ごした日がすごく遠い日の出来事のように思えた。

でも作業中にはよくあの夜の食堂で島尾と話したことを思い出した。すると指先がリズミカルに動いた。

あれだけ話したのに彼のことは何も知らないことに気が付いた。下の名前も、どこに住んでいるのかも、恋人がいるのかも。いや、結婚しているのかどうかさえも聞かなかった。左手の薬指には指輪は無かったように思うが、指輪の痕を確かめるなんて思いつきもしなかった。

でも彼は私が嫌がるようなことはしなかった。そんな素振りも見せなかった。ただ私と話すのが楽しそうだったし、私も楽しかった。

もう会わないと決めていたのに島尾からの電話が待ち遠しかった。作業中は携帯電話は禁止だったからロッカーにしまいっぱなしだったが、休憩になると取り出して着信履歴を見た。島尾からの電話はなかった。でも、がっかりするほどの気持ちもなかった。

旅行から帰って十日くらいしたある夜、和美と一緒に近所の食堂でご飯を食べていると突然携帯が鳴った。画面を見ると、未登録の番号だった。胸の鼓動がいっぺんに速くなった。

「香川さん？」

島尾の声だった。

私の緊張した顔を見て、和美は私から視線を外し、携帯でメールを打ち始めた。

「島尾です。覚えてますか？」

「はい」

少し沈黙があった。

「暑くなりましたね」

「はい」

電話の向こうで息を吸う音が聞こえた。

「香川さん――」

「はい」

「今度の休みはいつですか？」

「休みですか？」

「はい」

私は目を瞑《つぶ》った。

「明日からニューヨークに行く予定です」

和美が顔を上げて私を見た。

「いつ帰ってきますか？」

私は小さな声で、日曜日に帰ってきますと言った。

「その日は会えますか？」

携帯を持つ手が震えた。

「帰って来た日に、会うのは無理です。ごめんなさい」

「――そうですか」

気まずい沈黙が流れた。和美の方を見ると、携帯の画面を見ているがメールを打つ手が止まっている。

「あ、でも月曜なら――」思わず言ってしまった。

「会ってもらえるんですか！」

「――ええ、はい」

「嬉しいです！　会ってもらえるのは、すごく嬉しいです、ほんとに」

待ち合わせ場所と時間は今晩もう一度電話すると島尾は言った。

電話を切った後、和美が呆《あき》れたような顔をした。

「今の電話、沖縄の人ね」

私は聞こえないふりをした。和美はため息をついた。

「会うの？」

私はまた返事をしなかった。

「やめた方がいいよ」

「やっぱりそう思う？」

「当たり前よ。恋人になんかなれないよ。スッチーなんて嘘、あっという間にばれちゃうよ。恥かくし、ふられるの見えてるよ」

「わかってる……」

「わかってるんなら、ちゃんと断った方がいいよ」

私はうなずいた。和美の言う通りだ。今晩もう一度電話があったらちゃんと断ろう。

和美と別れて寮の部屋に戻ると、島尾から電話があった。彼の弾むような声を聞くと、断ることが出来なかった。彼は港区の有名ホテルの名をあげた。そんな高級ホテルなんか行ったことがない私は気後れした。

「交通の便が悪かったら、香川さんの都合のいいところでいいですよ」

「ううん。大丈夫」

「何か元気ないみたいだけど……」

「少し頭痛で……、明日も早いから寝てたの」

「そうなんだ。遅くに電話してごめん」

「いいんです」

「明日のお仕事、頑張ってね」

「有り難う」

電話を切った後、自己嫌悪に陥った。

自分はなんて馬鹿な女なんだろうと思った。はしたないこと極まりない。和美に知られたら思い切り軽蔑されるわ。でも一方で心がうきうきするのを抑えられなかった。そしてそれに気付いて余計に嫌になった。

次の日から携帯電話の電源を切った。ニューヨークにいるはずの私の携帯がつながってはおかしいからだ。

月曜日にホテルに行った。この日のためにAラインの白いワンピースを奮発した。それにパンプスも。全部で十万円近くした。実際のスッチーならもっと高価な服を着ているのだろうが、私にはこれが精一杯だった。これでも給料の半分近い散財だ。当日には美容院にも行った。この日のデートのために今月は耐乏生活を余儀なくされる。

でもいいんだ、と自分を納得させた。島尾と会うのは今日が最後だ。だから素敵な思い出のためにこれくらい使ったってバチは当たらない。精一杯楽しもう。

ホテルには二十分前に着いたが、島尾はそれより前に着いていた。広いロビーだった。私の工場と寮がそっくり入りそうだった。

島尾は旅行先ではラフなスタイルだったのに、今日はすごく高級そうなスーツを着ていた。ブランドはわからないが上等な生地が使われているのはすぐにわかった。ぱりっとしていて、もしかしたらおろしたてかもしれないと思った。ちゃんとした恰好をしてきてよかった。カジュアルな服装だったら彼に恥をかかせるところだった。

「都会で見ると、やっぱりスッチーという感じがしますね。ばっちり決まってます」

服を誉められるのは嬉しかった。

「ふだんはもっと汚い恰好してますよ」

「じゃあ、ぼくのためにオシャレしてきてくれたんですね」

私はどう答えていいのかわからなかった。でも奮発してよかったと思った。

その後、ホテルのラウンジでお茶を飲みながら雑談した。こんなところでお茶を飲むのは初めてだったから落ち着かなかった。

私はいろいろと外国の話をした。島尾は一つ一つに感心したように聞いてくれた。でもすべてこの一週間に購入した本で仕入れた話だった。そんなことを一所懸命に語っている自分がすごく嫌になってきた。

「ごめんなさい。さっきから自分の話ばっかりして、退屈でしょう」

「ううん、ちっとも。ぼくの知らない話ばかりだからすごく面白い」

自分の顔が熱を帯びてくるのがわかった。恥ずかしくて泣きたくなった。心の中で島尾に謝った。ごめんなさい、私の話は全部嘘なの。だからそんなに真面目《まじめ》に聞かないで！

ホテルを出て少し通りを歩いた。九月に入っていたが暑かった。日差しは沖縄の方が強かったが、東京はむっとする暑さで、風はなかった。

しばらく歩いて目に付いた喫茶店に入った。

「香川さんはどこに住んでるの？」

「市川」私はあらかじめ考えていた地名を言った。「東京に住みたかったけど、そうするると成田まで行くのが遠くて――」


これも嘘だ。本当は東京の荒川区の端っこ、隅田川のすぐ近くで寮住まいだ。

「島尾さんはどこに住んでるの？」

「ぼくは世田谷です。桜新町」

「高級住宅地ですね」

「普通の住宅地ですよ」

「私はそんなとこ、とても住めません」

「スチュワーデスなら大丈夫でしょう。給料もいいんでしょう？」

「そんなによくないです。私は契約だから……」


少しでも嘘を控えめにするためにそんなことを言った。でもその後にすぐ「和美はちゃんとしたスチュワーデスだけど」と付け加えた。

「同じスチュワーデスでも正社員と契約社員があるんだね」

「はい……」

「香川さんは新卒で契約スチュワーデスになったの？」


私はちょっと迷ったが「途中入社です」と答えた。

「じゃあ、前の仕事は何だったの？」

「鞄の縫製をしてました」

咄嗟に嘘が思いつかなかった。島尾は私の答えに意外そうな顔をした。私は開き直って言った。

「工場で働いていたんです。ブランドの鞄じゃないけど、いい製品でした。デザインは地味でださいけど、どこの鞄よりも丈夫で長持ちします」

「へえ」島尾が身を乗り出して聞いてきた。「丈夫さの秘訣《ひけつ》は何ですか？」

「一番大切なのは縫製です。鞄には特によく使う部分があります。その部分を革や布を二重にして丁寧に縫製します。でもそんな部分って、ふだん目に付かないところだから、実は手を抜いてもわからない部分なんです」

「なるほど」

「でもうちの鞄は社長の方針で、そういう部分にこそこだわっていました。だから私たちもそういうところは丁寧に縫製していたんです」

島尾は感心したようにうなずいた。

「鞄の話をしている香川さんは楽しそうだね」

返事に詰まった。

「香川さんはその仕事に誇りを持って働いていたんだね」

「ええ、好きでした」

「でも、今はヴィトンのバッグを持ってるんだね」

島尾は椅子に置いてある私のハンドバッグを指さした。私は少し慌てた。このバッグは寮の友人に借りたものだった。いつもは自分の作った鞄を持っていたが、今日のデートに持ってくるのは恥ずかしかったからだ。

「工場で働いていたのはもう随分前だから——」

島尾は笑った。

その夜、二人で食事した。同じ港区にある有名なフランス料理店だった。雑誌でもよく取り上げられていて名前は聞いたことがあったが、入ったことはない。テーブルについただけで緊張してしまった。でも島尾は堂々としていた。おそらくいつもこんなところで食事しているのだろう。私とは住む世界の全然違う人なのだとあらためて思った。

有り難う王子様、と心の中で呟いた。素敵なシンデレラにしてくれて。十二時を回ったら、私はまた鞄の縫子に戻ります。でも今夜だけは、レディーとして振る舞わせて下さい。今夜の素敵な思い出は一生忘れません。

「また、会ってくれますか？」

食事が済み、コーヒーを飲み終えた時、島尾が言った。

私は「島尾さんさえよろしければ」と答えたが、もう会うつもりはなかった。

島尾は満面の笑みを浮かべた。「ぼくは会いたいです!」

彼の顔を見るのが辛かった。

レストランを出て、二人で公園を歩いた。島尾が私の手を握った。男性と手を握るのは初めてだった。動悸《どうき》が指先を通して彼に伝わるのではないかと思った。

島尾は暗い木陰の方に進んだ。キスされるかもしれないと思ったが、かまわなかった。

島尾は立ち止まり、私の方を向くと、キスしてきた。生まれて初めてのキスだった。私は抗《あらが》わなかった。唇に触れるか触れないかの優しいキスだった。もしかしたら島尾は途中でやめようとしたのかもしれない。キスの経験のない私にはわからなかった。

「ごめんね」

唇を離した島尾は言った。

「ううん」

「戻ろうか」

「うん」

二人は地下鉄の駅で別れた。

別れ際に島尾がふと呟くように言った。

「香川さんがスチュワーデスなんかじゃなくて、鞄の職人さんの方がよかったかな

──なんて」

私は心の中でえっと思った。

「スチュワーデスだと、ぼくみたいな田舎者には何か敷居が高すぎて──」

私は思わず「ごめんなさい」と言ってしまった。島尾は慌てて手を振った。

「ごめん、変なこと言って。スチュワーデスの方が圧倒的に素敵な仕事だよ」

私は何と答えていいのかわからなかった。

満員電車に揺られながら、心が重く沈んでいくような気持ちになった。取り返しのつかないことをしてしまったような後悔に苛《さいな》まれた。初めから鞄の縫製職人と正直に言っていたらよかったと思った。それで相手にされなかったら仕方がない。もしかしたら島尾はそんな私を好きになってくれたかもしれない。でも、もう遅い。

もう二度と島尾に会わないと決めた。楽しい思い出は十分出来た。思い残すことはない。

次の日の夜、島尾から電話があった。

「昨日はありがとう」

「私こそ──」

「また会えますか？」

咄嗟に返事が出来なかった。

「もしもし――」

「ごめんなさい。もうしばらく会えません」

電話の向こうで島尾が絶句するのがわかった。

「これから仕事やプライベートの旅行で、当分時間の都合がつかないのです」

「やっぱりぼくなんかでは駄目なんですね」

私は何も言えなかった。しばらく沈黙があった。

「またこちらから連絡します」と私は言った。

「待ってます」

そう言う島尾の声ははっきり元気がなかった。私は心の中で謝った。本当は私も会いたい。でも私の嘘がわかったら、きっとあなたは私のことを嫌いになる――。

電話を切った後、涙が出てきた。電話はしないと決めた。だからお願い、あなたも電話をしてこないで。


島尾から電話があったのは一月《ひとつき》後だった。

ようやく彼のことを忘れかけていた頃だったから、激しく動揺した。

「会いたい」

島尾の声は切羽詰まった声だった。その声を聞いた時、彼は私に恋してると感じた。でも彼が恋しているのは本当の私じゃない。

「香川さんに会いたいんです」

「そう言っていただけるのは嬉しいです」

「この一ヵ月、ずっと香川さんのことばかり考えていました。お願いです。会ってくれませんか？」

「ごめんなさい！」

私はそう言って半ば強引に電話を切った。

悲しくてたまらなかった。やっぱり島尾とは旅先だけで別れるべきだった。電話番号なんか教えなければよかった。

いや嘘なんか言わなければよかったのだ。何十回も繰り返した後悔がまた私を苛んだ。初めから本当の自分の姿を見せていたら——悔やんでも仕方ないことを何度も悔やんだ。

でももうやり直せない。今更本当のことは死んでも言えない。そんなことをすれば、とことん軽蔑されるだけだ。嘘で塗り固めた人生を持つ女なんて最低だ。

もう島尾には絶対に会わない。

しかしその決意は、三日後、島尾からもう一度会いたいという電話がかかった時、もろくも折れてしまった。

二度目のデートは楽しめなかった。嘘をついていることが苦しくてならなかったからだ。会話の途中、何度も本当のことを言おうと思った。しかしそう思うと心臓がばくばくして、舌が強張《こわば》った。そしてついに言うことが出来なかった。

別れ際に、島尾は

「何か心配事でもあるの？」

と聞いた。島尾の表情には何か追いつめられたような色があった。

私は首を振るのがやっとだった。お願いだから、もう誘ってこないで、と思った。

しかし一月《ひとつき》後、私はまた会ってしまった。断り切れなかった自分に呆れる一方で、心を躍《おど》らせている自分にも気付いていた。それがまた許せない気分だった。

島尾はいつも高級レストランに連れて行ってくれた。私が払うと言っても島尾は払わせなかった。豪華な食事とワインを味わうたびに、彼は私とは別世界に生きる人なんだと思った。二度目のデートの時にはまた新しい服を買ったが、三度目のデートの時は新調するお金が無く、友人に服を借りた。

島尾に会うなら真実を告げなければいけないという思いに駆られたが、三度目のデートの時も勇気が出なかった。

会うたびに彼に惹《ひ》かれていく自分を感じていた。

――別れなくてはいけない、と真剣に思った。

十二月の半ば、島尾にまたデートに誘われた。でもそれは今までのデートとは違った。彼は「ずっとぼくと一緒にいられるか？」と聞いたからだ。どういう意味かはわかったが、その言葉をきっかけに私はその日を最後にしようと決心した。

その夜、私は島尾とディナーを食べながら、頭の中は、彼が決定的なことを口にする前に本当のことを言わなければ、ということばかり考えていた。料理を味わう余裕なんてなかった。味のない高野豆腐《こうや》を噛んでいる感じだった。

でも食事中はとうとう言えなかった。彼に限ってそんなことをするはずがないのはわかっていたが、大勢のお客さんの前で怒鳴られたりしたらと思うと、レストランでは言えなかったのだ。

私は心に決めた。ホテルの部屋で言おうと。島尾に抱かれる前に本当のことを言おう。

真実を知らされた時の島尾の態度は予想出来なかった。もしかしたら叩かれるかもしれない。償いとして体を求められるかもしれない。どんなことをされてもいいと思った。でも嘘をついたまま抱かれるのは絶対に嫌だった。

ホテルの部屋に入った時から、多分、私の様子は普通ではなかったのだろう。島尾の様子もいつもと違っていた。部屋に入っても、私と視線を合わせようとはしなかった。私は私で緊張と恐怖でどうにかなりそうだった。

二人で部屋の低いテーブルを挟んで向き合って座り、互いに黙っていた。

島尾は食事中からかなり酔っていた。こんなに酔っている彼を見るのは初めてだった。

島尾は部屋に持ち込んだワインの栓を抜き、「一緒に飲もう」と言った。私がもう飲めないと言うと、彼は一人でグラスに注いで飲んだ。

二人の間に会話はなかった。島尾は一人で黙々とワインを飲んでいた。その様子を見て、私はふと、もしかしたらこの人もこういうことが初めてなのかもしれないと思った。

私はテレビをつけた。ニュースをやっていた。ニューヨークのロックフェラーセンターで大きなクリスマスツリーのイルミネーションが点灯されたというニュースが流れていた。それを見ながら、もうすぐクリスマスなんだなと思った。

二人は黙ってテレビを見た。ニュースが終わると、音楽番組が始まった。しばらくぼんやりと見ていたが、急に睡魔に襲われた。こんな状況で眠たくなるなんて自分でも信じられなかったが、極度の緊張と酔いのせいかもしれなかった。

「疲れたので、ちょっと横になってもいいですか？」

島尾は一瞬虚を突かれたような顔をしたが、すぐに優しい笑顔を浮かべて、

「うん、少し横になると楽になるよ」と言った。

私は服を着たまま、ベッドに横になった。ほんの少しだけ休むつもりだったのに、目を閉じるとそのまま眠りに落ちてしまった。

気が付くと、部屋は暗かった。私の体には毛布がかけられていた。隣のベッドに島尾が寝ているのが見えた。ベッド脇の時計を見ると、午前四時だった。

後悔と自己嫌悪がどっと襲ってきた。私は結局、彼に真実を告げることも、抱かれることも出来なかった。島尾がどんな気持ちで一人ベッドに入ったのだろうかと思うと、申し訳ない気持ちでいっぱいになった。

私は彼を起こさないようにベッドから出ると、バスルームでホテルに備え付けの寝間着に着替えた。ベッドに入っても、今度はなかなか眠れなかった。しかしあれこれ考えているうちにいつのまにか眠りに落ちていた。

翌朝、私が目覚めた時には、島尾はもう起きていた。

「おはよう」

島尾は明るい声で言った。

「昨日はよく眠れた？」

私は黙ってうなずいた。

「ごめんなさい。眠ってしまって――」

「疲れてたんだろう」

島尾の優しい言葉は胸にこたえた。

朝食を食べている時も、二人とも昨夜の話はしなかった。多分もう会うことはないだろうなと思った。

別れ際に、島尾は「来週のクリスマス・イブに会いたい」と言ったが、強い言い方ではなかった。私は返事を曖昧にしたまま、彼と別れた。


寮に戻ってから、私は島尾に手紙を書いた。

手紙には、自分はスチュワーデスではないこと、本当は東京の町工場で働く縫製職人だと書いた。これまで偽ってきたことを謝罪した。

そして自分は島尾を好きでいること、島尾が私に好きと言ってくれたことをとても嬉しく感じたことを書いた。そして、島尾がその言葉に責任を感じる必要がないことも書いた。そして手紙の最後に、こう記した。

「もし、島尾さんが私を許してくれるなら、そしてこんな私でも好きでいてくれるなら、イブの正午に、初めて会ったホテルに会いに来て下さい。もし私を好きでなければ、来ないで下さい。お願いです」

手紙をポストに差し入れる時は手が震えた。いざ投函しようとすると今度は指が離れなかった。何度も手を引っ込めた。これを出してしまえばすべてが終わってしまうと思うと怖くてたまらなかった。でも逡巡《しゅんじゅん》した末に投函した。手紙が空のポストに落ちる音が聞こえた。その瞬間取り返しのつかないことをしてしまったような気がした。でもこれでいいのだ。

数日間は夢と悪夢の中にいるような感じだった。

日曜日の夜、島尾がやって来ることを夢見た。両手に赤い花束を抱えて——。

「香川さんがスッチーであろうとなかろうとどうでもいい。ぼくが好きなのは香川さんなんだから」

もしその言葉が聞けたら死んでもいい。

でも恐ろしい想像の方が強かった。当日、彼はやって来ず、私は一人、ラウンジで何時間も待つのだ。コーヒーを一人で何杯も飲んで——。携帯は鳴らない。私がかけると、つながらない——。

現実はそのどちらでもなかった。

手紙を投函した二日後の昼に、彼から電話があった。私は仕事中で電源を切っていたから、彼の言葉は留守電に入っていた。聞いたのは仕事を終えてからだった。「新しいメッセージが一件あります」と聞いた時、心臓が早鐘のように打った。

「もしもし、島尾です。まことに申し訳ありませんが、イブの日に会えなくなりました。プライベートな事情です。本当に申し訳ありません。また連絡します」

私はそのメッセージを続けて三度聞いた。そしてそれを消去した。それから携帯の中の島尾の電話番号を削除した。発信履歴も着信履歴も全部消した。

帰宅途中に携帯ショップで電話を解約して、新しい携帯電話を買った。もちろん電話番号も変えた。私の人生で、島尾はすべて消えた――。

＊　＊　＊

「でもね、運転手さん、全部は消えてなかったのよね。携帯のデータは消去しても、心の中までは消去出来ないのよね」

その時、運転手は初めて口を開いた。

「その人がテレビ局員というのは、嘘かもしれないですね」

その声を聞いた瞬間、私は声を上げそうになった。

「あなたがスッチーと嘘をついたように、その二人の男も嘘をついたのかもしれませんよ」

私は目を閉じた。

頭の中に懐かしい声が甦る。忘れられない声だ。

こんなことがあるのだろうか——いや、あるはずがない。私はかなり酔ってるに違いない。

「彼ら二人はもしかしたらトラック運転手だったのかもしれません。あなたたちと同じように旅の解放感でつい嘘をついてしまったのかもしれません」

今夜はクリスマス・イブ。聖なる夜だ。でも、こんなことが起こるなんて——。

「彼はいつも高級なレストランに連れて行ってくれたのよ」

「それまで一所懸命に働いて貯めてきたお金をおろしたのかもしれませんよ」

私は胸が詰まった。

「彼は——なぜ、会えないと言ってきたの？」

「もしかしたら——」

と彼は言った。

「突然、親の危篤の知らせがあって、急に故郷に帰らないといけなくなったのかもしれません。そんな慌ただしい状況の中で、取り急ぎイブにあなたに会えないということを留守電に吹き込んだのかもしれません。あなたからの手紙を見る前に」

私はもう返事が出来なかった。

「危篤状態が数日続いた末に母親が亡くなり、葬式やその後始末でしばらく東京へ戻って来られなかったのかもしれません。その後、東京に戻ってあなたからの手紙を見て慌てて連絡を取ったものの、すでに携帯電話は解約されていて連絡がつかなかった――」

私の目から涙がこぼれた。

「彼はあなたの消息を一所懸命に探したのかもしれません――」彼はそこで言葉を切った。「初めて出会った沖縄のペンションにも問い合わせました」

「そこまで――」

「あなたにもう一度会いたい。連絡出来なかったことを謝りたい。嘘をついていたことを謝りたい。そう思っていたからです」

彼も泣いていた。

「あなたが車に乗ってきた時、すぐにあなただとわかりました。その時のぼくの驚きがわかってもらえるでしょうか。――怖くて声が出なかった」

私は泣きながらうなずいた。

「いつかあなたに会えるかもしれないと思って、翌年の暮にぼくはトラックの運転手をやめてタクシー運転手になりました。休日には以前会ったホテルや店にも行きました。二人で歩いた公園にも足を運びました。でもあなたには会えませんでした。ぼくは期限を切りました。五年――そう、五年の間にあなたと巡り合うことが出来なければ諦《あきら》めよう。そして故郷に帰って、親父の跡を継いで漁師になろうと――」

そして島尾は静かに言った。

「今夜がちょうど五年目の、最後の夜でした」

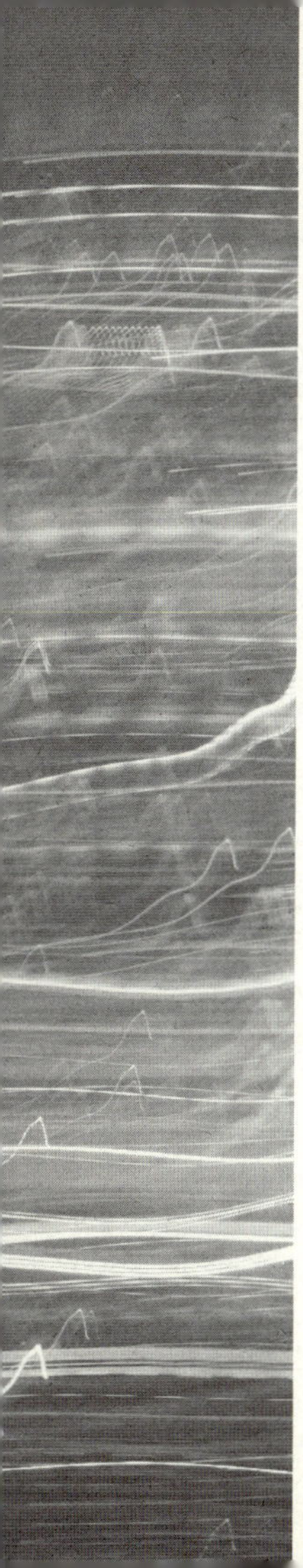

第五話 † サンタクロース

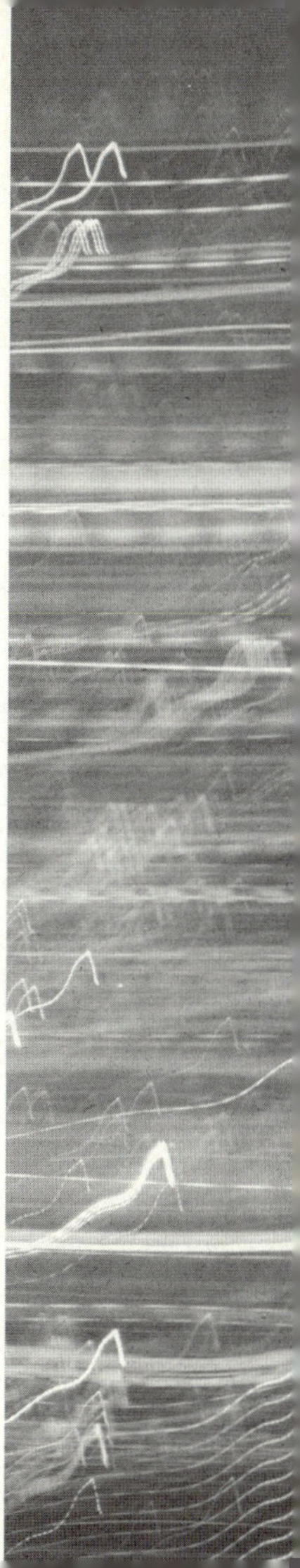

「メリークリスマス！」

末娘の聖子《さとこ》が舌足らずな声を上げた。

聖子の言葉に続いて二人の兄、そして父と母が「メリークリスマス」と言った。

母の和子が冷蔵庫からケーキの箱を取り出すと、子供たちはその箱の大きさに、わあ、と叫んだ。

「望《のぞみ》を呼んでおいで」

父の賢治に言われて、次男の孝と三男の豊が二階に駆け上がった。長男を呼ぶ孝の声が聞こえた。しかし二人はすぐに降りてきて、

「おっきい兄ちゃんはいらないって――」と言った。

「困った奴だな」

賢治が立ち上がろうとするのを妻の和子が止めた。

「本人が要らないって言ってるんだから、いいわよ」

「だけど、せっかくのクリスマスケーキだぞ」

「夕食前に私が叱《しか》ったことをまだ根に持っているのよ。高校二年生にもなって、子供

なんだから——」

「和ちゃんの言い方もちょっときつかったぞ」

「きつくなんかないわよ。停学処分になったの、二回目よ」

賢治はため息をついた。

「とにかく、あの子のことはほっときましょう」

賢治は、わかったと言った。

「じゃあ、ケーキを切りましょう」

和子の言葉に、ちょっと沈んでいた三人の子供たちは歓声を上げた。

「さっちゃんが最初に選んでいい？」

聖子は生クリームの上にフルーツがふんだんに盛られたケーキを睨《にら》み付けたまま言った。その様子を二人の兄が面白そうに見ていた。

聖子は来年、小学校に入学する。二人の兄の孝と豊は小学校の四年生と三年生だった。年が離れた長男の望は三人の弟妹に「おっきい兄ちゃん」と呼ばれていた。

和子はケーキを切る時、一つをかなり大きく、二つをやや大きく切った。

それでも8号のケーキは六人で食べるには明らかに大き過ぎた。おそらく二日に分けて食べることになるだろう。一番大きいケーキは聖子に真っ先に選ばれ、次に大きいケーキは二人の兄に選ばれた。

和子が賛美歌をアレンジしたクリスマスのCDをBGMにして、家族五人でドミノをして遊んだ。二回連続してビリになった聖子は泣いてぐずった。が、三回目に一番になると、さっきの涙も忘れておおはしゃぎだった。家族が全員で聖子を勝たせてあげたのを知らないのは本人だけだった。テーブルで大きな笑い声が何度も起きた。

和子はそんな光景を見ながら心から幸せを味わっていた。


寝室で夫と二人きりになった時、和子は夫にこの夜二杯目のコーヒーを淹《い》れた。酒を飲まない賢治はコーヒーが好きだった。

リビングからは子供たちがテレビゲームで楽しんでいる声が聞こえた。時刻は十一時を過ぎていたが、明日は休みなので大目に見てやることにした。

子供たちがゲームで騒いでいる間、夫婦は一旦寝室で二人だけのティータイムを取ることにしたのだ。ダブルベッドの横に小さなテーブルがあり、和子と賢治は向かい合わせに座った。

「素敵なクリスマスだわ」

「うん、去年はこんな気分で迎えられなかった」

和子は一年前のことを思い出した。賢治は印刷会社を経営していたが、昨年暮れに取引先の会社が二つも倒産して売掛金の大部分を回収出来なくなり、あわや不渡りを出すところだった。昨年の今頃、賢治は連日金策のために駆けずり回っていた。賢治は和子より五歳若かったが、年下の夫にありがちな甘えた性格ではなかった。むしろ和子の方が賢治を頼っていたし、甘えることも多かった。

「正直に言うと、あの時はもう駄目だと思っていた」

「それでもイブの夜はケーキを買ってきてくれたわ」

「クリスマスなんてずっと忘れてた。家の近くのケーキ屋を見て、思い出したんだ」

賢治が買って帰ったケーキはデコレーション付きのクリスマスケーキではなく、生クリームが入っただけの質素なロールケーキだったが、子供たちは久々に早く帰宅した父の顔を見て喜んだ。

「あの時、子供たちの顔を見て、もう一度やる気になれた」

「賢くんは頑張ったわ。私はのんびりしていただけで、ごめんね」

「和ちゃんは俺の前では何も気が付かないふりをしていつも明るく振る舞ってくれた。感謝してる」

「あら、私、会社のことは何も知らなかったのよ。子供と同じよ」

「——和ちゃんがずっと求人雑誌を見ていたのは知ってたよ」

和子は返答に戸惑った。

賢治はコーヒーを急いだように飲み干すと、

「コーヒーのお代わりをもらおうか」と言った。

和子はポットから夫のカップにコーヒーを注いだ。

「いずれにしても今年はのんびり年を越せそうだ。家族はみんな健康だし、言うこと無しだよ」

「一つだけ、心配の種があるけど——」

「望のことか？」

和子はうなずいた。

「無免許でバイク乗り回して停学になるなんて、本当に情けないわ」

賢治は苦笑した。

「この前も電車の中でよその高校生と喧嘩《けんか》して、警察沙汰になっているし——」

「あれは向こうが喧嘩を売ってきたらしいじゃないか」

「でも、怪我させたのはこちらだし。一人、出来の悪い子でごめんなさい」

「たいしたことじゃないよ。男の子は少々やんちゃな方がいい」

「私の教育がいたらなかったせいだわ。髪の毛だって金髪よ！」

「髪の毛くらいどうってことはない。あの子はいい子だよ。俺は好きだよ」

「でも万引の件は——」

賢治は手を振って和子の言葉をさえぎった。

「中学の時の話じゃないか。――そんなことより」

賢治はそう言いながら、ズボンのポケットから小さな箱を取り出し、テーブルの上に置いた。箱は綺麗な包装紙にくるまれていた。

「これは？」

「クリスマスプレゼント」

「私に？」

賢治は少し照れくさそうな顔をした。

「結婚して大分経《た》つけど、クリスマスプレゼントなんて初めてだったね」

「嬉しいわ」

和子は包装紙を丁寧にほどいた。中は紫色の宝石箱だった。蓋《ふた》を開けると、指輪が入っていた。

和子は指を夫の前に差し出した。

「つけて」

賢治は箱から指輪を出すと、和子の指を持って、そっと薬指にはめた。

指輪は蛍光灯の明かりに照らされて、きらきらと光った。

「ルビーね」

「でも高いものじゃないよ」

「おばさんには派手じゃない？」

「四十二歳はおばさんじゃないよ」


リビングからはまた賛美歌のメロディーが聞こえてきた。子供たちがＣＤをかけたのだろう。時々、楽しそうな笑い声も聞こえる。

「クリスマスって不思議だな」

ふと賢治は呟《つぶや》くように言った。

「どうして？」

「本来ならキリスト教徒にとっての聖夜なのに、そうでない人たちにとっても特別な日になっている」

「賢くんの言う通りだわ。この日は大切な人のことを考える日なんだと思う。きっと今夜は世界中の人に素敵なことが起こる気がする」

賢治はうなずいた。

「和ちゃんはこの家でただ一人のクリスチャンだ」

「ごめんね。いつも食事の前のお祈りに付き合わせて」

「謝ることはないよ。食事の前のお祈りはいいことだと思う。俺はクリスチャンじゃないから、正直に言って神様にお祈りするという気持ちにはなれないけど、日々の糧《かて》を感謝する気持ちは大切なことだと思う。人は一人だけでは生きていけない。今こうして生きていることも多くの人たちや世の中に助けられているからだと思う。君が食事の前にお祈りをしているのを見ると、いつもそのことを思う」

賢治も信仰には関心を持っていて、これまで教会に何度も足を運んでくれたが、洗礼を受けるまでには至らなかった。それは和子にとって少し残念なことだったが、妻を喜ばせるために形だけの洗礼を受けるよりもむしろ誠意ある態度に思えた。

「私がなぜ信者になったのか、賢くんは一度も聞かないわね」

和子の言葉に、賢治は逆に怪訝《けげん》な顔をした。

「信仰告白は個人の心の一番大切な部分だろう。いくら夫でも妻の心の中を覗《のぞ》くようなことはしたくない」

和子は夫の心遣いに感謝した。賢治は言葉を選ぶようにして言った。

「和ちゃんは若い頃、すごく辛いことがあったんだろう。信仰によって救われたなら、それでいい」

和子は賢治を見た。真面目《まじめ》で勤勉な夫だった。

——もしもあの夜、あんなことがなければ、この人には出会っていなかった、絶対に、そして永久に——。

「——私が神様を信じるようになったのは、今夜と同じクリスマス・イブだった」

和子は呟くように言った。

「十八年前の夜だったわ。みぞれが降っていて、寒かった」

夫の目に驚きの色が浮かぶのが見えた。

「私のお腹には、望がいた」

夫は黙って和子の目を見つめた。

「その夜のことは幻でも見たような気がするの。不思議な夜だった——」

＊　＊　＊

——私は夜の町をふらふらと歩いていた。見知らぬ町だった。その町で私は死ぬつもりだった。

電車を降りて駅を出ると、町にはワム！の「ラスト・クリスマス」が流れていた。店々の前には大小のクリスマスツリーが立てられていて、ガラス玉や星が派手な光を放っていた。

クリスマスの華やかさは、私の悲しみと孤独感を余計に深くした。

あなたも知ってるように、私には両親がいない。母は私が七歳の時に癌で亡くなった。病名は大きくなってから知らされたの。

母が入院したのは私の夏休みが始まった翌日だった。私は毎日、絵日記を持って病院に通った。母は私の絵日記を読むのを楽しみにしていた。私は母を喜ばせるように毎日一所懸命に絵を描いた。母は、夏休みの間には家に戻るからお利口さんにして待っていてねと言ってたのに、新学期が始まる直前に亡くなってしまった。

母が死んでからは毎日泣いてばかりいたわ。家に一人でいる時はもちろん、友達と遊んでいる時も、母を思い出すと涙が出た。

父は再婚もせずに私を育ててくれた。それまで勤めていた建設会社は頻繁に転勤のある会社だったので、父は私のために地元の小さな工務店に転職した。そして慣れない手付きでご飯を作り、身の回りの世話もしてくれた。

中学生になった頃から父に代わって私が母の役をつとめた。炊事をし、洗濯をし、朝は父のためにお弁当を作った。父一人娘一人ということもあって、父とはすごく仲が良かった。夜、父の晩酌の話し相手をするのが何よりの楽しみだった。父の口癖は私の花嫁姿を見たいというものだった。でもその願いは叶《かな》えられなかった。父が工事現場で倒れたのは、私が二十歳の時。脳梗塞《のうこうそく》だった。すぐに病院に運ばれたけど、そのまま帰らぬ人となった。

父を失った時は本当に打ちのめされた。世の中でたった一人になってしまったと思ったの。

そんな私の支えになってくれたのが亮介だった。亮介は中学時代の同級生で、付き合い始めたのは高校三年生の秋だった。もし彼がいなかったら、私は父を失った悲しみから立ち直ることは出来なかったと思う。

——賢くんに悲しい思いをさせるかもしれないけど、私は心から亮介を愛していた。こんな言い方が許されるなら、亮介は私のすべてだった。六年間付き合い、春には結婚する予定だった。

そんな矢先、その亮介を突然の交通事故で失ってしまった。

それからの二ヵ月をどうやって過ごしてきたのか全然覚えていない。ぼんやりとした記憶はあるけど、それは夢の中の記憶のようだ。

どれだけ泣いたかしれない。泣いて、泣いて、泣いて——とうとう涙も声も出なくなった。最後は喉《のど》から血が出た。

私をかろうじて支えたのは仕事だった。私はファミリーレストランのウェイトレスだった。葬儀の前後の慌《あわ》ただしさとレストランで忙しく立ち回っている間は、悲しみから逃れることが出来た。

ただそれも束《つか》の間《ま》だった。四十九日が過ぎ、少しほっとすると同時に、急に天涯孤独の身の上になった悲しみが降りそそいできた。亮介はもうこの世にいない。そしてもう二度と会えない——そのことが現実のこととして私の前に立ちはだかった。

それまで、あまりにも急激にやって来た悲劇の衝撃で、悲しみの中に沈みながらもどこか非現実的な感覚があったのが、時が経つとともに「これは本当のことなんだ」という思いがじわじわと襲って来た。私は絶望的な孤独感に苛《さいな》まれた——。

体に違和感を覚えたのは十二月の初めだった。不安はその前からあった。ずっと生理がなかったの。

市販の妊娠検査薬で陽性と出た。病院で調べるとはたして妊娠していた。四ヵ月だった。

妊娠は私にもう一度悲しみを思い起こさせたわ。亮介には二度と会えないのに、どうして子供なんか身籠《みご》もってしまったのか——。

堕《お》ろそうと思った。そうして産婦人科を訪ねた。でも手術の直前に気が変わった。亮介の子を殺して一人で生きていくことなんか出来ないと思ったの。私はあっけにとられる医者の前から逃げるように去った。

でも子供を産んで育てていく自信なんかなかった。生きるという気力が失《う》せてしまっていたの。

だからお腹の中の子供と一緒に死のうと思ったわ。天国でこの子を産もう。そこには亮介もいる、そして大好きだった父も母もいる——。

クリスマス・イブの夜、ＪＲに乗って西へ向かった。どこか知らないところへ行き、そこで死のうと思った。

　イブの夜を選んだのは特に理由はなかった。強いていえば、亮介とホテルで過ごす約束をしていた日だった。「イブの日に予約を入れたから」と亮介に言われてずっと楽しみにしていた夜だった。

　終着駅まで行こうと思っていたのに、乗った電車は途中までしか行かず、私もそこで降りたの。

　駅前はロータリーの周りにショッピングアーケードもある、わりに大きな繁華街だった。もっと寂《さび》れた街に行きたかったのに思ったよりも賑《にぎ》やかでがっかりした。駅前の商店街に大勢いた家族連れの姿は私の悲しみを一層つのらせたわ。

　商店街を過ぎて住宅街に入ると、急に歌も消え、道は暗くなった。

　見知らぬ街をあてもなく歩いたけれど、死ぬ方法は考えていなかった。ビルから飛び降りるか、電車に飛び込むか、あるいは川に飛び込むか——。ハンドバッグには睡眠薬が入っていた。いざとなればこれを飲むつもりだった。

　私は死に場所を求めて、また死ぬ勇気が湧《わ》いてくるのを待ちながら、見知らぬ街をふらふらと歩いた。

しばらく歩くと、道の片側は田圃《たんぼ》になった。街灯も減り、暗い道で。空は雲が覆っていたのか、月も星も見えない夜だった。

いつしかみぞれ混じりの雪が降ってきた。薄いコートしか着ていなかった私の体は芯《しん》から冷えてきた。神様が私のために雪を降らせているのかと思った。多分、私の亡骸《なきがら》を白い雪で覆ってくれるつもりなのだろう、そう思ったわ。

でもみぞれ雪は道を濡らすだけで、積もりそうにもなかった。私の頭に降り落ちた雪もすぐに溶けて冷たい水になり、髪から首筋を伝って体に流れ込んでくる。

どこか静かなところで睡眠薬を飲んで死のうと思った。森でもいい、林でもいい、誰もいない場所で——。大量に飲めば、多分、朝までには凍《こご》え死んでいることだろう。その時には、天国で愛する亮介と一緒にいられる。

ふらふらと彷徨《さまよ》うように歩いていた。いつのまにか再び住宅街に出た。もしかしたら知らないうちに同じ道をぐるぐる回っていたのだろうか。

急に雪がやんだ。

気が付くと、足下の道には雪が積もっていたの。それもブーツがめりこむほどに。さっきまではまだ全然積もっていなかったのに——。

私はブーツで雪を踏みながら歩いた。

さっきまで見えなかった月明かりが街を照らしていた。地面に覆われた雪がその光を反射して、夜とは思えない明るさだった。見上げると雲はなく、くっきりとオリオン座が見えた。

幻想的な美しさだった。死のうと思っている人間がこんなことを感じるなんて不思議だけど、なぜか美しい夢の世界にさまよいこんだような気がしたの。

不気味なまでの静けさで、雪を踏む自分の足音しか聞こえなかった。

ふいに前方に色とりどりの美しい光が見えた。私は誘蛾灯《ゆうがとう》に誘われる虫のようにその光に向かって歩いていた。

明かりは背の高いクスノキの枝に付けられた無数の豆電球だった。クスノキは大きな洋館の敷地に生えていた。赤、緑、黄色の綺麗な電球がちかちかと点滅して、葉に積もった雪に光が映って美しかった。

門扉《もんぴ》が開いていて中を覗いてみると、洋館だと思っていたのは教会だった。白い壁の建物で大きな三角形の屋根の上には十字架が見えた。こんな住宅街に教会があるなんて意外な感じがしたわ。

教会の分厚い木製の扉が少し開いていて、そこから門に向かって光が漏れていた。

私はなぜかその光に吸い込まれるように門をくぐり、敷地に足を踏み入れていたの。

教会建物の扉の陰に人のシルエットが見えた時、思わず足を止めた。その人影はサンタクロースだったから。

サンタクロースは私の姿に気付くと、手でこっちに来るように合図した。

私は催眠術にかかったようにふらふらと教会に近付いていったわ。

「メリークリスマス！」

サンタクロースは明るい声で言った。赤い帽子をかぶり、赤いオーバーとズボンを穿《は》いた老人は、イラストなんかでよく見る白いヒゲを生やしていた。

「メリークリスマス」

私は思わず答えていたの。

「寒いでしょう。中に入って暖まりなさい」サンタクロースは言った。「さあ、どうぞ」

私はサンタクロースにいざなわれるように教会の中に入った。

玄関を入るとロビーになっていて、壁にはいろいろな予定表やポスターが貼られて、本棚には聖書や賛美歌の本が並んでいた。

サンタクロースは帽子を取り、「こんばんは」と挨拶した。帽子の下の髪の毛も真っ白だった。

「私はこの教会の牧師です。今夜は子供たちとクリスマスパーティーをしていたのです」

「本物のサンタさんかと思いました」

「このヒゲは本物ですよ」

　年老いた牧師さんは笑いながら長いヒゲをさすって言った。

「礼拝堂にお入りなさい」

　礼拝堂の中は暖房が効いていて暖かかった。礼拝堂の入り口付近に大きめの折りたたみテーブルと何脚かのパイプ椅子があって、テーブルの上にはいくつもの空のカップとお皿があった。

「さっきまで子供たちがいたのです。片付けていませんが、どうぞお座り下さい」

　私は勧められるまま椅子に座った。

　教会の礼拝堂というものに入るのは初めてだった。中は思っていたよりも広く、正面に祭壇があり、その横には小さなオルガンがあった。部屋の真ん中を通路にするように左右に背もたれがついた木の長椅子が整然と並べられていた。部屋全体を覆う静《せい》謐《ひつ》な空気は心地よかった。

　私が座っているところは、礼拝堂の一番後ろのスペースだった。

　祭壇の横のドアが開いて品のいい老婦人が姿を現したの。「妻です」と牧師さんが紹介してくれた。

それからその老婦人に向かって
「クリスマス・イブに訪れた大事なお客さんです」

と私を紹介してくれた。

奥様はにこやかな表情で、「ようこそいらっしゃいました」と言った。

それから「まあまあ。こんなに濡れて――」と言って、奥の部屋から持ってきたバスタオルで私の髪の毛を拭いてくれた。私は子供のように大人《おとな》しく拭かれていた。木綿の暖かい肌触りが気持ちよかったことを覚えているわ。

それから彼女は私を立たせて濡れたコートを脱がしてくれた。

「今、温かい紅茶を淹れますからね」

「ありがとうございます」

私は牧師夫婦の自然な振る舞いに、まるで本当に客人としてやってきたかのように答えていたわ。

まもなく奥様が紅茶を持ってきてくれた。品の良い香りがテーブルに漂った。温かくておいしい紅茶だった。一口ごとに体が暖まるようだった。

「おいしい」

私は思わず呟いた。奥様は嬉しそうに微笑《ほほえ》んだ。

「おいしいですね」と牧師さんも言った。「年を取って耳は遠くなったし、目もすっかり悪くなりましたが、味覚だけは衰えていません」

そして奥様の方を見てうなずいた。奥様も夫の顔を見てうなずいていた。

牧師さんは私に何も質問しなかったの。

クリスマス・イブに、傘も差さずに髪の毛を濡らしてやって来た私に、黙って温かい紅茶を淹れてくれた。

三人は静かに紅茶を飲んだ。沈黙が何の気詰まりにも感じなかった。不思議な気持ちだった。

自然に言葉が口をついて出た。

「私――死のうと思っていたんです」

牧師さんは穏やかな表情を崩すことなくじっと私の顔を見た。奥様もまた静かに微笑んでいた。

牧師さんは静かに尋ねた。

「今も同じ気持ちでいますか？」

その質問は意外だった。

「わかりません……」

牧師さんは黙って紅茶を飲んだ。それから、「私の話をしましょう」と言った。

「私は今年で八十歳になりました。八十年の人生を振り返って、非常に幸せな人生だったと思います」

「はい」

「私は今、癌に冒されています」

思わず牧師さんの顔を見た。

「でも八十歳になると癌細胞も年老いてしまって、進行がきわめて遅いのです」

牧師さんはまるで天気の話でもするように笑いながら言った。奥様もにこにこと聞いていた。

「もちろんそうは言ってももうそんなに長くはないでしょう。でもこれまでの人生は幸せでした。多分、これからの人生も幸せだろうと思っています」

牧師さんはそう言って私を見つめた。その目は、何というか——私の悲しみを洗い流すような温かいものがあったわ。

「私の母は、結婚しないで私を産みました。いわゆる未婚の母です」

思わず牧師さんの顔を見た。

「でも母は私を産んでくれました。おそらく——大変、勇気ある決断だったと思います」

私は黙って聞いていた。

「今、私には子供が五人います。子供たちはみんな結婚して、幸せな家庭を築きました。孫は全部で十二人います。ひ孫も六人います。みんないい子ばかりです。私の喜寿のお祝いに子供や孫が集まってくれたのですが、その時、私は母のことを思い出しました。もし、母が私を産んでくれなかったら、この子たちは一人もいないのだなと。そう思うと、すごく不思議な気がします」

「牧師さん、私――」

牧師さんに妊娠していることを告げようと思った。しかし彼は私の言葉を制するように手を上げたの。

「あなたの顔を見た時、あなたが深い悲しみと悩みを持っていることはわかりました。しかし私はそれを聞くことはしません。私に出来ることは、人生を八十年も生きた老人から見た人生の意義を語ることしかありません」

そう言って牧師さんは私の手に自分の手を添えた。

その手は不思議な温もりがあった。私の心の中の絶望を溶かすような不思議な温かさだった。

ふと見ると、牧師さんの手の甲には星形の痣《あざ》があった。牧師さんは私の視線に気付いたようだった。

「この傷、変わっているでしょう」

「お星様の形をしてますね」

牧師さんは目を細めた。

「聖者に現れると言われる聖痕《せいこん》です」

「え？」

「——と言いたいところですが、単なる火傷《やけど》の跡です。でもなかなか素敵な形でしょう」

牧師さんはそう言って悪戯《いたずら》っ子のような表情をした。

「信じてしまいました」

牧師さんは笑った。

私はもう一度礼拝堂の中を見渡した。天井は高く、屋根の形に合わせて細くとんがっていた。祭壇の壁には白地に黒い十字架が描かれていた。それを見ていると、信仰心はなかったものの私はなぜか敬虔《けいけん》な気持ちになってきた。

「あなたが来ることはわかっていました」

私は驚いて牧師さんの顔を見た。彼はにこにこと笑っている。奥様を見ると、彼女も微笑んでいた。

「私の母は亡くなる前に、私に言いました。いつか、お前がもっともっと年を取った時、あるクリスマス・イブに、人生に絶望した一人の女性がやって来る。あなたは彼女を救いなさい、と」

牧師さんは私の目をじっと見つめながら言った。

「私は十年前から、クリスマス・イブに、教会の扉を開けて待っていました。毎年、誰かが訪れるのを待っていました――」

夫の言葉に妻がうなずいた。

「こんな話が信じられますか」

私はなぜか素直に信じることが出来たの。

「あなたがどんな悩みを抱えているのかは知りません。私に出来ることは、あなたに生きる勇気と喜びを与えたいというだけです」

牧師さんの目はもう笑っていなかった。

「人には誰でも愛する人がいます。孤独ではありません。自分の人生だけではないのです」

「私には愛する人はいません」

「家族は？」

「家族はいません」私は言いました。「母は幼い時に亡くなり、父は四年前に亡くなりました」

牧師さんは目を閉じた。

「あなたが死んで悲しんでくれる人は誰もいないのですか？」

「愛する人がいました。婚約者です。彼は事故で亡くなりました」

忘れていたあの絶望的な孤独感が心に襲いかかってくるのを感じた。

長い沈黙の後、牧師さんは言った。

「本当に、愛する人は一人もいないのですか？」

はいと言いかけた時、お腹の中の赤ちゃんのことを思い出した。

「――お腹の中に赤ちゃんがいます」

牧師さんは目を大きく見開いた。それから私の顔をじっと見つめた。その目はさっきまでの柔和な眼差しではなかった。

「その赤ちゃんは愛する人の子供ですね？」

「はい」

牧師さんは深く頭を垂れた。膝に置かれた彼の手の上にそっと奥様が手を重ねた。しばしの沈黙があった。

牧師さんはゆっくり顔を上げて言った。

「その赤ちゃんを愛していますか？」

不思議なことに、私はごく自然に「はい」と答えていた。

「その赤ちゃんに人生を与えてあげたいと思いませんか？」

突然、私の目から涙がこぼれた。

「思います」

「その赤ちゃんは必ず幸せな人生を送るでしょう。そして——あなたも幸せになるでしょう」

牧師さんの目にもいっぱいの涙が溢《あふ》れていた。隣に座っている奥様も泣いていた。

私はその時、牧師さんの言葉を素直に信じることが出来た。私のお腹の子供はきっと幸せになると——。

「あなたのために祈ります」

牧師さんは目を瞑《つぶ》って手を合わせた。私も目を瞑り、手を合わせた。

不思議な気持ちだった。何て言うんだろう——まるで心の中を覆っていた暗い雲が消えて陽の光が差し込んでくるように、孤独感が消えていったのをはっきり覚えている。

——牧師さんは祈りの後、アーメンと言った。私もアーメンと小さく復唱した。

牧師さんは私の顔を見て言った。

「初めて笑いましたね」

牧師さんに言われて自分が微笑んでいたことに気付いた。

「あなたとはまたいつか会うでしょう」

私もそんな気がした。

「有り難うございました」

私はそう言って椅子から立ち上がった。

牧師さん夫妻は深く頭を下げてくれた。それから立ち上がり、礼拝堂の戸を開いた。私は玄関のロビーを抜けて教会を出たの。

門まで歩いて振り返ると、牧師さんが教会の扉の前に立って見送ってくれているのが見えたわ。手を振る彼の衣装はサンタクロースのままだった。

私は深く一礼して、教会を後にした——。

＊　＊　＊

和子が話し終えても、賢治はしばらく黙っていた。

夫の目が涙でにじんでいるのが見えた。

かなり経ってから賢治は「初めて聞いた」と言った。

「隠していたわけじゃなかったのよ」

賢治は首を振った。

「そんなこと思ってないよ。話すのに、それだけの時間が必要だったんだと思っている」

そして和子の目を見て「話してくれて、ありがとう」と言った。

和子は黙って夫の手を握った。

賢治はふと、「その牧師さんとは？」と聞いた。

「その後、一度も会わなかった」

「教会にはもう行かなかったの？」

「年が明けて、もう一度その町へ行って、教会を訪ねたわ。でも見つからないの。街並みが全然変わってて、道がわからなくなってたの。それで人に尋ねて、ようやく教会にたどり着いたんだけど、全然違う教会なの。訪ねてみたら、牧師さんは若い人で、私が会った年老いた牧師さんのことなんか全然知らないって――」

「違う教会？」

「そう。でも教会なんて、そういくつもないでしょう。それに教会の前には大きなクスノキもあった。町の人たちはこの町には昔からこの教会しかないって――」

「不思議な話だね」

「そうなの。不思議なことはもう一つあるの。あの夜、牧師さんに駅までの道を教えてもらって帰ったんだけど、途中でまた急にみぞれ混じりの雪が降ってきた。でも道には雪が全然積もってないの。教会に行くまではブーツがめりこむほど積もっていたのに――。もしかしたら夢でも見たのかもしれないと思ったわ。だから、今日まで誰にも話さなかった」

　賢治は黙っていた。

「もしかしたら神様が見せてくれた夢かもしれないと思う。絶望している私に、素晴らしいことを教えてくれた。希望をくれたの」

「希望か……」

「ええ、人生で一番大切なもの――最高のプレゼントをいただいたわ」

「うん」

「牧師さんは他にも大切なことを気付かせてくれた」

「それは？」

「お腹の中の望《のぞみ》のこと」

　賢治はうんと言った。

「お腹の赤ちゃんに素晴らしい人生を送らせてあげたくないかと言われた時、この子を幸せにしなくてはと思ったの」

「もしかしたら――」と賢治は真面目な顔で言った。「その牧師さんは、本物のサンタクロースだったのかもしれないね」

　和子はそうかもしれないと思った。

「私は望を産んで、未婚の母になった。母子家庭で生活は大変だったけど、望の笑顔は私に最高の幸福を与えてくれた。どんなに辛くてもあの子の嬉しそうな顔を見ると、生きる勇気が湧《わ》いた。頑張って生きていれば、人生にはきっといいことがあると信じることが出来た」

「そして、俺に出会った」

和子はうなずいた。

「私みたいなコブつきと本気で付き合いたいなんて、信じられなかった」

「最初から惹《ひ》かれたんだ。この女性しかないと思った」

「からかってるのかなと思った」

「本気だったのはわかっただろう」

和子は小さな声で、ええと言った。

「俺を和ちゃんと巡り合わせてくれたのは、あの子だ」

和子は十二年前のある日を思い出した。望が五歳の時だった。

海水浴に行った浜辺で望が迷子になり、泣いている彼をあやしてくれていたのが賢治だった。和子が望を見つけた時は、賢治と砂山を作って遊んでいた。

「あの子の嬉しそうな笑顔を見て、賢くんが優しい青年だとわかったわ」

「俺は綺麗なお母さんでびっくりした」

「私はすぐにあなたを好きになった」

賢治は和子の手を握った。

「一年後にあなたからプロポーズされた夜、望に、賢くんがお父さんになってもいいかと聞いたの。あの子、大喜びで部屋中飛び回ってた。私はそれで決心したの」

賢治は泣き笑いのような表情を浮かべた。

「去年のクリスマスの夜、望がこう言ったんだ——俺、高校辞めて働くよって」

「本当？」

「うん。俺、あいつには会社が危ないなんて一言も言ってないのに、あいつは感じていたんだな」

「知らなかった——」

「あいつの言葉を聞いて、もう一度やってやるという気になった。俺は思ったんだよ、こいつに高校を辞めさせるようなことは絶対にするもんかって」

和子は胸が詰まった。

「あいつは俺の大好きな息子だし、俺の誇りだから——」

和子の目に涙がにじんできた。

「俺は本当にそう思ってるんだ。わかるだろう。あの子は俺の大切な子だよ。俺の自慢の息子だ」

和子は、ありがとうと言おうとしたが言葉が出なかった。

その時、リビングから聖子の悲鳴が聞こえた。

賢治は慌てて寝室を飛び出した。和子も後を追った。

部屋の中央で聖子が大きな声で泣いていた。その横に石油ストーブが倒れ、孝と豊がおろおろしたように立っていた。ストーブの火は消えていた。

長男の望が「大丈夫だよ」と聖子をなだめていた。

「どうしたんだ！」賢治は言った。

「聖子がストーブの横でつまずいて、ストーブが倒れた」

望が言った。

「おっきい兄ちゃんがストーブが倒れる前に聖子を助けたんだよ」と孝が言った。

「代わりに、おっきい兄ちゃんが怪我しちゃった」と豊が言った。

それを聞いて聖子がまた大きな声で泣いた。

望は左手で聖子の頭を撫《な》でながら「兄ちゃんは大丈夫だよ」と言った。

和子は望の右腕をつかんだ。望の右手の甲はストーブが直接当たってしまったらしく、真っ赤になっていた。破れた皮膚から血も流れていた。

「孝、豊、冷蔵庫から氷を取っておいで！」

和子はそう言うと、望を洗面所まで連れて行き、水で傷を洗った。

血が洗い流された後の生々しい火傷の傷を見て、和子は息を呑んだ。
それは美しい星の形を描いていた——。

解説――「語りの人」――

太田出版代表・編集者　岡　聡

「岡さん、クリスマスの短編を書いてええかなあ？」

ある夜、百田さんから電話がかかってきた。

クリスマス？　短編？　唐突な話に僕は戸惑った。少し前に二人で話し合って、次はボクシングを素材にした小説を書きましょうと準備を始めたばかりだったのだ。特攻で死んだ零戦パイロットを主人公にした処女作『永遠の0《ゼロ》』が好評だったことを受けて、小説家・百田尚樹の力量を知らしめるべく第二作の題材として選んだのが、著者自身選手経験があり造詣の深いボクシングだった。絶対に面白いものになると確信していた。

「ボクシングの話はどうしますの？」

「でも思いついてしもたんや。これ書かなボクシングも書かれへん」

この人は一度思い立つと我慢が出来ない。玩具売場で目当てのおもちゃを見つけた子供みたいなところがあって、駄目だといってもおそらくはどんどん書いてほかの出版社にでも持って行ってしまうだろう。僕は後に『ボックス！』として出版される小説よりもこの話を先に進めることを了解した。

「日頃はつらい思いをしている女の子にも夢みたいな報われる日があってもええやないか、っていう話なんや。絶対に面白い話になるよ！」

『輝く夜』（原題『聖夜の贈り物』）の原稿が届いたのはそれからすぐのことだった。


僕と百田さんの出会いは十八年ほど前の一九九二年春になる。

今も続く大阪の超人気番組『探偵！ナイトスクープ』の特番「全国アホ・バカ分布図の完成」の書籍化（『全国アホ・バカ分布考』松本修著／太田出版刊行／現在は新潮文庫）をプロデューサーの松本修さんに提案し、その話し合いのために大阪朝日放送前のホテルプラザ（一九九九年閉鎖）で会ったときに、松本さんの知恵袋・構成作家陣のリーダーとして紹介されたのが百田さんだった。後で知ったのだが、本の出版に消極的だった松本さんの気が変わったのには、僕から松本さんへの手紙を見た百田さんが僕と仕事をすることを強力に勧めてくれたからということもあったらしい。

その後百田さんとはお互いの家を行き来したり、電話で様々な話をしたりするようになったのだが、知れば知るほど僕は百田さんの奇才ぶりに驚くことになった。

とにかく好きになったこと、面白いと思ったことへののめり込みが半端ではない。

〝どこまでいってしまうんや！〟というほど時間も金も労力も惜しみなくつぎ込む。教養として「知っている」というレベルではなく、その対象と魂の底で触れあうというような没入の仕方なのだ。百田さんの前では軽々しく何かが好きなどとはとても恥ずかしくて言い出せない。

興味がない時の反応はあっけにとられるほどシンプルで「やらん！」「いらん！」「知らん！」と取りつく島がない。ましてやつまらないと思ったときには「こんなん、どこがおもろいねん！」ととても我慢ができんという表情で声を上げる。日本の教育システムの中でよくこんな人が出来上がったものだと感心するほど平均的ということから遠い人なのだ。

これだけならうるさい趣味人といっただけなのだろうが、百田さんの場合、趣味が個人の趣味で終わらない一つの特技をもっていた。自分が興味をもったことを人に伝えるのがとにかく天才的に上手いのだ。具体的な情報がみっちりと詰まった話を独特の解釈を織り交ぜ、聞き手にとってまったく未知の領域の話でも飽きずに聞かせてしまう。

たいていは人を軸にした話になるのだが、エピソードを面白いと思わせるためには、その前提となっている世界観から理解させなくてはならない。その上未知の登場人物の個性の語り分けや状況説明が必要となる。百田さんはもともと興味のなかった聞き手を相手に百発百中でそれをやって見せるのだ。

語り終わった百田さんがしみじみとつぶやく。

「なあ？　ほんまにこんなことがあったって信じられる？　おもろいなあ」

その時、百田さんの語る登場人物は聞いているこちらにとっても人生の一時期を共有した人物のように思えてくる。

百田尚樹の小説を読んだことがある方はお気づきと思うが、この語りは百田尚樹の小説そのものなのだ。

僕はこの調子で、ボクシングの数々の名シーンや一発のパンチの理論的な意味、クラシックの名指揮者の人生、囲碁の名棋士が繰り広げた死闘、手品師たちと詐欺の関係、面白いと思った本の話など夜を徹して聞かせてもらった。話しているうちに百田さんの興奮は高まり、いきなり立ち上がるとボクシングのパンチを繰り出す。陶酔した表情でCDから流れる音楽に合わせて指揮するように手が動き始める。手品の披露が始まり目の前からコインが消える。

これだけ楽しませてもらってなんで本の企画の一つも思いつかなかったのだろうと今でこそ思うが、きっと百田さんそのものが面白すぎたのだ。

そういう話の合間にふと百田さんが「いつかは小説を書いてみたい」と照れくささうに漏らしたことがあった。試しに書いてみたという原稿の一部も見せられた。恥ずかしげにすぐに引っ込めてしまったのでそれ以上の話には進まず、「納得のいくものが書けたらぜひ見せてください」ということで終わったが、このときちらっと見せられた原稿というのが、実は今年（二〇一〇年）の十一月に講談社から出版される『錨を上げよ』である。

僕に見る目があったら、百田さんのデビューはもっと早かったかもしれない。処女作となる『永遠の０』の原稿が百田さんから届いたのはそれから十年以上たってからだ。原稿には聞く者を惹き付ける百田さんの語りの資質が驚くべき見事さで息づいていた。

小説を出版した後のことだが、百田さんが自分は関西一ナレーションを書くのがうまいと言ったことがある。関わった番組の質の高さ、人気を見れば関西一というのは謙遜が過ぎる。百田尚樹は日本でも最高のナレーションが書ける人物なのだ。ナレーションとはそのまま語りのことだ。十年の間にこの人は自分の語りのもつ力への確信を高めてきたに違いない。

伝説的人気テレビ番組を長期間にわたって支え続けたその圧倒的な構成力とナレーションの力、スピード感を今、百田尚樹は小説の世界に惜しみなく注ぎ込んでいる。

『輝く夜』は、冒頭で書いたような経緯を経て小説家・百田尚樹の第二作となった。

百田尚樹が小説を書く上で強烈に意識し自身でも表明していることがある。「希望のある話を書きたい」ということだ。今の時代にこれほど明快に小説の目的に「希望」を語る小説家は珍しい。だからこそ百田尚樹はそう思って小説を書いているし、そのために小説を書いている。

『輝く夜』は短編集である分、百田尚樹の語りの力や「希望」がよりストレートに表現されている。この後次々と感動的な作品を生み出す百田尚樹のエッセンスがここにある。

読者は、語り部・百田尚樹の紡ぎだすファンタジックな一夜の面白さとともに、百田尚樹が小説家であろうとする理由も感じることになるだろう。

●本書は二〇〇七年十一月、太田出版より『聖夜の贈り物』として刊行されたものを改題、文庫化したものです。
●著作権者との契約により、本著作物の二次及び二次的利用の管理・許諾は株式会社太田出版に委託されています。

|著者| 百田尚樹　1956年、大阪生まれ。同志社大学中退。放送作家として人気番組「探偵！ナイトスクープ」など多数を構成。2006年、太田出版より刊行された『永遠の0《ゼロ》』で作家デビュー。'13年『海賊とよばれた男』（講談社）で第10回本屋大賞を受賞。他の著書に『風の中のマリア』『影法師』『ボックス！（上下）』（すべて講談社文庫）、『錨を上げよ』（講談社）、『夢を売る男』（太田出版）などがある。

輝《かがや》く夜《よる》

百田尚樹《ひゃくたなおき》

2010年11月12日第1刷発行
2013年5月21日第21刷発行

発行者――鈴木　哲
発行所――株式会社　講談社
東京都文京区音羽2-12-21　〒112-8001
電話　出版部（03）5395-3510
　　　販売部（03）5395-5817
　　　業務部（03）5395-3615

講談社文庫
定価はカバーに表示してあります

デザイン―菊地信義
本文データ制作―講談社デジタル製作部
印刷―――株式会社廣済堂
製本―――株式会社千曲堂

Printed in Japan

ISBN978-4-06-276778-1

講談社文庫刊行の辞

二十一世紀の到来を目睫に望みながら、われわれはいま、人類史上かつて例を見ない巨大な転換期をむかえようとしている。

世界も、日本も、激動の予兆に対する期待とおののきを内に蔵して、未知の時代に歩み入ろうとしている。このときにあたり、創業の人野間清治の「ナショナル・エデュケイター」への志を現代に甦らせようと意図して、われわれはここに古今の文芸作品はいうまでもなく、ひろく人文・社会・自然の諸科学から東西の名著を網羅する、新しい綜合文庫の発刊を決意した。

激動の転換期はまた断絶の時代である。われわれは戦後二十五年間の出版文化のありかたへの深い反省をこめて、この断絶の時代にあえて人間的な持続を求めようとする。いたずらに浮薄な商業主義のあだ花を追い求めることなく、長期にわたって良書に生命をあたえようとつとめるところにしか、今後の出版文化の真の繁栄はあり得ないと信じるからである。

同時にわれわれはこの綜合文庫の刊行を通じて、人文・社会・自然の諸科学が、結局人間の学にほかならないことを立証しようと願っている。かつて知識とは、「汝自身を知る」ことにつきていた。現代社会の瑣末な情報の氾濫のなかから、力強い知識の源泉を掘り起し、技術文明のただなかに、生きた人間の姿を復活させること。それこそわれわれの切なる希求である。

われわれは権威に盲従せず、俗流に媚びることなく、渾然一体となって日本の「草の根」をかたちづくる若く新しい世代の人々に、心をこめてこの新しい綜合文庫をおくり届けたい。それは知識の泉であるとともに感受性のふるさとであり、もっとも有機的に組織され、社会に開かれた万人のための大学をめざしている。大方の支援と協力を衷心より切望してやまない。

一九七一年七月

野間省一

講談社文庫　目録

毎日新聞科学環境部　「理系」という生き方〈理系白書2〉
毎日新聞科学環境部　迫るアジア　どうする日本の研究者〈理系白書3〉
前川麻子　すきもの
町田忍　昭和なつかし図鑑
松井雪子　チル☆
牧秀彦　裂《れっ》帛《ぱく》〈五坪道場一手指南〉
牧秀彦　凛《りん》々《りん》〈五坪道場一手指南〉
牧秀彦　雄《ゆう》飛《ひ》〈五坪道場一手指南〉
牧秀彦　清《せい》冽《れつ》〈五坪道場一手指南〉
牧秀彦　美《び》剣《けん》〈五坪道場一手指南〉
牧秀彦　無《む》我《が》〈五坪道場一手指南〉
真梨幸子　孤《こ》虫《ちゅう》症《しょう》
真梨幸子　深く深く、砂に埋めて
真梨幸子　女ともだち
真梨幸子　クロク、ヌレ！
まきの・えり　ラブファイト(上)(下)〈聖母少女〉
牧野修　黒娘　アウトサイダー・フィメール
毎日新聞夕刊編集部　女はトイレで何をしているのか？〈現代ニッポン人の生態学〉
前田司郎　愛でもない青春でもない旅立たない

間庭典子　走れば人生見えてくる
松本裕士　兄弟〈追憶のｈｉｄｅ〉
枡野浩一　結婚失格
円居挽　丸太町ルヴォワール
松宮宏　秘剣こいわらい
三好徹　政・財　腐蝕の１００年
三好徹　政・財　腐蝕の100年　大正編
三浦哲郎　曠野の妻
三浦綾子　ひつじが丘
三浦綾子　岩に立つ
三浦綾子　青い棘《とげ》
三浦綾子　イエス・キリストの生涯
三浦綾子　あのポプラの上が空
三浦綾子　小さな一歩から
三浦綾子　増補決定版　言葉の花束〈愛といのちの792章〉
三浦綾子　愛することと信ずること
三浦光世／三浦綾子　愛に遠くあれど〈夫と妻の対話〉
三浦明博　死《し》水《すい》
三浦明博　サーカス市場

三浦明博　感染広告
宮尾登美子　東福門院和子《まさこ》の涙
宮尾登美子　新装版天璋院篤姫(上)(下)
宮尾登美子　新装版　一絃の琴
皆川博子　冬の旅人(上)(下)
宮崎康平　新装版　まぼろしの邪馬台国　第1部・第2部
宮本輝　朝の歓び(上)(下)
宮本輝　ひとたびはポプラに臥す1〜6
宮本輝　骸骨ビルの庭(上)(下)
宮本輝　新装版二十歳《はたち》の火影《ほかげ》
宮本輝　新装版命の器
宮本輝　新装版　避暑地の猫
宮本輝　新装版　ここに地終わり　海始まる(上)(下)
宮本輝　新装版　花の降る午後(上)(下)
宮本輝　新装版　オレンジの壺(上)(下)
宮本輝　にぎやかな天地(上)(下)
峰隆一郎　寝台特急「さくら」死者の罠
宮城谷昌光　侠骨記
宮城谷昌光　夏姫春秋(上)(下)

講談社文庫　目録

講談社文庫　目録

村山由佳　すべての雲は銀の…(上)(下)
村山由佳　永遠。
室井　滋　ふぐママ
室井　滋　心ひだひだ
室井　滋　うまうまノート
室井　滋　気になり飯《めし》〈うまうまノート②〉
村野　薫　死刑はこうして執行される
睦月影郎　義《あ》姉《ね》〈武芸者　冴木澄香〉
睦月影郎　有《う》情《じょう》〈武芸者　冴木澄香〉
睦月影郎　忍《しのび》萌《もえ》
睦月影郎　変《かわり》萌《もえ》
睦月影郎　卍《まんじ》萌《もえ》
睦月影郎　甘《あま》蜜《みつ》三《ざん》昧《まい》
睦月影郎　平成好色一代男　独身娘の部屋
睦月影郎　平成好色一代男　清純コンパニオンの好奇心
睦月影郎　平成好色一代男　和装セレブ妻の香り
睦月影郎　新・平成好色一代男　秘伝の書
睦月影郎　新・平成好色一代男　元部下のOL
睦月影郎　新・平成好色一代男　隣人と。女子アナと。

睦月影郎　武家娘〈明暦江戸隠密控〉
睦月影郎　Gのカンバス
睦月影郎　密通妻
睦月影郎　姫《ひめ》遊《なぶ》
向井万起男　渡る世間は「数字」だらけ
向井万起男　謎の1セント硬貨〈真実は細部に宿る in USA〉
村田沙耶香　授乳
村田沙耶香　マウス
村田沙耶香　星が吸う水
森村誠一　暗黒流砂
森村誠一　殺人の花客
森村誠一　ホームアウェイ
森村誠一　殺人のスポットライト
森村誠一　殺人プロムナード
森村誠一　流星の降る町〈『星の町』改題〉
森村誠一　完全犯罪のエチュード
森村誠一　影の祭り
森村誠一　殺意の接点
森村誠一　レジャーランド殺人事件

森村誠一　殺意の逆流
森村誠一　情熱の断罪
森村誠一　残酷な視界
森村誠一　肉食の食客
森村誠一　死を描く影絵
森村誠一　エネミイ
森村誠一　深海の迷路
森村誠一　マーダー・リング
森村誠一　刺客の花道
森村誠一　殺意の造型
森村誠一　ラストファミリー
森村誠一　夢の原色
森村誠一　ファミリー
森村誠一　虹の刺客(上)(下)〈小説・伊達騒動〉
森村誠一　雪煙
森村誠一　殺人倶楽部
森村誠一　ガラスの密室
森村誠一　作家の条件〈文庫決定版〉
森村誠一　死者の配達人

講談社文庫　目録

2013年3月15日現在